1 MONTH OF
FREE
READING

at
www.ForgottenBooks.com

By purchasing this book you are
eligible for one month membership to
ForgottenBooks.com, giving you
unlimited access to our entire
collection of over 1,000,000 titles via
our web site and mobile apps.

To claim your free month visit:

www.forgottenbooks.com/free1307031

ISBN 978-0-428-78194-1
PIBN 11307031

For support please visit www.forgottenbooks.com

Hanna Jagert

Von Otto Erich Hartleben erschienen bisher:

Die Serényi, zwei verschiedene Geschichten. II. Auflage, 1891. S. Fischer Verlag, Berlin.

Der Frosch. Parodie. III. Auflage 1900. S. Fischer Verlag, Berlin.

Angele. Komödie. 1891. S. Fischer Verlag, Berlin.

Albert Giraud. Pierrot Lunaire. Rondels. 1893. S. Fischer Verlag, Berlin.

Hanna Jagert. Komödie. 1893. S. Fischer Verlag, Berlin.

Die Erziehung zur Ehe. Komödie. II. Auflage. 1898. S. Fischer Verlag, Berlin.

Die Geschichte vom abgerissenen Knopf. VIII. Auflage. 1900. S. Fischer Verlag, Berlin.

Ein Ehrenwort. Schauspiel. 1894. S. Fischer Verlag, Berlin

Goethe-Brevier. Goethes Leben in seinen Gedichten, herausgegeben von O. E. H. 1895. München, Karl Schüler, Maximilianstraße 2.

Meine Verse. 1895. S. Fischer Verlag, Berlin.

Amalie Skram. Agnete. Deutsch von Therese Krüger und O. E. H. 1895. Selbstverlag. Berlin W., Motzstr. 93.

Vom gastfreien Pastor. VIII. Auflage. 1901. S. Fischer Verlag, Berlin.

Angelus Silesius. 1896. Georg Bondi, Berlin.

Die sittliche Forderung. Komödie. 1896. S. Fischer Verlag, Berlin.

Der Römische Maler. IV. Auflage. 1900. S. Fischer Verlag, Berlin.

Die Befreiten. Ein Einakter-Cyklus. II. Auflage 1901. S. Fischer Verlag, Berlin.

Ein wahrhaft guter Mensch. Komödie. 1899. S. Fischer Verlag, Berlin.

Rosenmontag. Eine Offiziers-Tragödie. VII. Auflage 1901. S. Fischer Verlag, Berlin.

Otto Erich Hartleben

Hanna Jagert

Komödie

Zweite Auflage

Berlin
S. Fischer, Verlag
1901

Vorwort.

Die „Hanna Jagert" ist in der Reihenfolge meiner Komödien die dritte. Mit der „Angele" hatte ich am 30. November 1890 auf der freien Bühne debütiert. In demselben Winter schrieb ich dann — in der Zeit vom 19. Januar bis 14. Februar 1891 — „Die Erziehung zur Ehe". Diese ursprüngliche Fassung der Komödie hatte nur zwei Acte, den jetzigen ersten und letzten.

Auch die „Hanna Jagert" oder „Die Begehrliche", wie sie in ihrer ersten, Ende November 1891 abgeschlossenen Fassung hieß, hatte anfangs nur zwei Acte und der jetzige zweite Act ist ebenfalls erst in einer zweiten Bearbeitung hinzugekommen. Am 6. Februar 1892 wurde diese fertig und dem Lessingtheater eingereicht. Die Aufführung sollte Ende März stattfinden, aber am 16. März verbot Herr von Richthofen, der damalige Polizeipräsident von Berlin, die Vorstellung.

Dr. Blumenthal und ich betraten nun zum erstenmal den Weg, der seither sehr oft gegangen ist, wir verklagten den Polizeipräsidenten beim Oberverwaltungsgericht. Es dauerte ja ziemlich lange, aber schließlich drangen wir doch mit unserer Klage durch: in seiner Sitzung vom 1. Dezember 1892 hob der III. Senat des Königl. Preußischen Ober= verwaltungsgerichts das Aufführungsverbot des Königl. Preußischen Polizeipräsidenten auf.

Am 2. April 1893 fand dann endlich die erste Aufführung im Lessingtheater statt. —

Die Aenderungen und Zusätze der vorliegenden zweiten Auflage beruhen vorwiegend auf den Er= fahrungen, die ich bei den Aufführungen des Stückes in Berlin, Breslau und Leipzig gesammelt habe. Auch sind hier und da Aktualitäten, die auf die Entstehung der Komödie vor nunmehr bald zehn Jahren hindeuten, gemildert worden.

Berlin, 31. August 1899.

Eduard Jagert, Mauerpolier.

Sophie, seine Frau.

Hanna, ihre Tochter.

Lieschen Bode, eine Nichte der Frau Jagert.

Conrad Thieme, Schriftsetzer.

Alexander Könitz, Dr. med., Besitzer einer chemischen Fabrik.

Friedrich Freiherr von Bernier.

Bernhard Freiherr von Bernier, dessen Großneffe.

Freudenberg, Weinhändler und Hausbesitzer.

Personal bei Hanna.

Zeit: 1. Act — März 1888.
       2. Act — September 1890.
       3. Act — März 1891.
Ort: Berlin.

Erster Act.

Frau Sophie Jagert

sitzt allein an dem Sofatisch links. Sie hat die brennende Lampe nah zu sich herangezogen und strickt emsig. — Plötzlich legt sie das Strickzeug mit einem Ruck auf den Tisch und horcht nach rechts. Dann schüttelt sie den Kopf und seufzt laut. Wie sie ihre Arbeit wieder aufnehmen will, klingelt es. Sie fährt zusammen, freudig:

Doch! Sie eilt nach rechts ab und öffnet. Man hört von draußen ihre Stimme mit einem Tone der Enttäuschung: Ach Du bist's!

Lieschen Bode
ebenfalls noch draußen, beinahe gleichzeitig:

Guten Abend, Tante. Ja — ich bin's. Wenn's Dir nicht paßt, brauchst's ja bloß zu sagen. Lacht.

Sophie
im Eintreten:
Na komm rein, komm!

Beide treten ein. Lieschen ist eine hübsche, blasse Blondine von zwanzig Jahren. Auffallend gekleidet, helles Jaquet, Federhut.

Lieschen:
Brauchst's bloß zu sagen!

Sophie:
Nu! Komm man schon rin und pell Dir aus — Ach Lieschen...

Lieschen
hat sich den Hut abgenommen und reicht ihn Sophie:
Na?

Sophie
hält beim Anblick des Hutes inne. Nimmt ihn, bewundernd:
Nein, ist das ein feiner Hut!

Lieschen
indem sie sich das Jaquet auszieht:
Sache! Mein neuer.

Sophie
streichelt die Feder:
Fein! Wirklich sehr fein! Kostet gewiß... Na, Du hast ihn wohl geschenkt gekriegt?

Lieschen:
Nu natürlich. Jeklaut nich.

Sophie
melancholisch:
Ja — ja! Ach, weißt Du, Lieschen: zu meiner Zeit — na! Ne kleene Weiße mit ne

Strippe — det war Allens. An sowat war jarnich zu denken! Kein Mensch! Bloß später Ede — und da war er schon mein Bräutigam.

Lieschen:

Ja — Kunststück! Früher! Singend: Das ist schon lange her...

Sophie:

Na nu komm. Setz Dir uffs Kanapee.

Lieschen

setzt sich weiterträllernd in die vordere Sofaecke.

Sophie

an ihrem früheren Platze, nimmt das Strickzeug wieder auf:

Wat macht Ihr denn? Wie jeht's denn Muttern?

Lieschen:

Ach die! Na — Du weißt ja. Meistens sitzt sie jetzt im Lehnstuhl. Der Doktor sagt, sie soll sich legen. Aber will sie denn? — Na — und dies Geschimpfe! Zackeriert 'n janzen Dag! Als ob ick wat dafor kann? Aber sie gönnt es einem bloß nicht, daß man jung, jesund un verjniegt is. Immer und ewig soll man bei ihr in der Stube hocken. Das ist doch kein Vergnügen!

Sophie

traurig, leise:

Die arme Wally!

Lieschen:

Gott ja — es ist ja schlimm genug. Aber sie braucht es einem doch nicht immer vorzuklönen! So — und so — und immer wieder dasselbe. Ich kann's doch nu mal nicht ändern!

— 11 —

Sophie

seufzt laut:

Ja — ja...

Pause.

Lieschen:

Wo ist denn übrigens Hanna?

Sophie

weinerlich:

Ach — dat Mächen! Nu seh' mal einer an
— nu ist es bald halb neune und sie ist noch
immer nicht da! Ich sitze wie uf Kohlen — ach,
Lieschen: Du weißt ja noch gar nicht... denk doch
mal an... sieh mal hier!

Sie reicht ihr ein auf dem Tisch liegendes Telegramm.

Lieschen

neugierig:

Na, was ist denn los? Liest das Telegramm:
Was — was?! Be — gna — digt? Conrad
begnadigt? Na nu!

Sophie:

Denk Dir!

Lieschen:

Ist die Möglichkeit!

Sophie:

Und kommt heute noch. Ist überhaupt schon
da. Sieben Uhr fufzehn kam der Zug. Jeden
Oogenblick kann er da rinkommen und...

Lieschen:

Er hat's also angenommen!

Sophie:

Was?

Lieschen:

Na — die Begnadigung.

Sophie:

Schaf. Wie wird er denn nicht.

Lieschen:

Na, na, na ... der mit seinem Dickkopp? ...
Der kriegt et fertig ... daß er meinswegen sagte:
was, erst habt Ihr mich zu drei Jahre verknackt...
nu sitz ick knapp zwee und nu wollt Ihr mir
wieder raus haben? Ne — is nich; nu sitz' ick
jrade bis Schluß. — So is er!

Sophie:

Ach — red doch nich! Der wird... Auf=
fahrend, nach rechts horchend: Horch! Hörst Du nichts?

Lieschen:

— Ne, aber wir können ja mal nachsehn. Sie
läuft nach rechts zur Thür und horcht hinaus. Sophie folgt
ihr. Lieschen schlägt die Thür wieder zu: Jarnischt.
Allens mucksstill.
Beide kehren auf ihre Plätze zurück.

Sophie:

Nämlich, mußt Du wissen: Ede ist zur Bahn
gegangen mit 'ne Masse andre. Die holen ihn
alle ab. Du weißt ja, wie das ist...

Lieschen
affektiert:

Nein — dieses Glück für... In anderem Tone:
Na ja: wenigstens for'n selber.

— 13 —

Sophie:

Für de Hanna! Denk' mal an! — Wie't so heute Nachmittag um viere rum war, fragt ich Eden, ob ich's ihr nicht ins Geschäft bringen sollte. Aber der —: ne laß man, wir wollen ihr überraschen, wenn sie abends kommt. Ach Lieschen — richtig geweint hab ick vor Freude — und nu kommt sie nicht.

Lieschen:

Na, wird schon noch. Man stille. Is ja 'n weiter Weg vom Spittelmarkt und wer weeß denn ... Nu sag mal! Aber seht Ihr's ... seht Ihr's nun? Was hab ich immer gesagt? Wenn unser Kronprinz mal an die Regierung kommt, hab ich gesagt, denn könnt Ihr wat erleben! Hab ich nu recht, oder hab ich nicht recht?

Sophie:

Ja, Ede sagt zwar ...

Lieschen:

Ne, ne, ne, ne, ne Tante! Daran kannst Du nu bei mir nicht tippen. Alle Achtung vor Onkeln, aber in der Beziehung, der jeht nu mal immer mit de Partei, und ich kann Dir blos sagen: mein Max, wat der Einjährige ist, den ich neulich bei Sterneckern kennen gelernt habe, der hat es mir ganz absolut klargelegt — und da mögt Ihr nu reden, was Ihr Lust habt ... und zumal Onkel: der muß ja nu eben alles schlecht machen, das gehört ja nun mal dazu. Nicht die Spur von Patriotismus. So is es!

Sophie:

Gott, ich hab' ja auch garnichts gegen. —

Lieschen:

Du, Tante: nu werden sie wohl bald heiraten?

Sophie

in Gedanken:

Ich denke. Ja. — Hm ...

Lieschen:

Na — wo doch damals schon alles soweit war. Ich meine — die Aussteuer und so — wie?

Sophie:

Ja, ja. Deutet auf den neumodischen, in die übrige Einrichtung nicht hineinpassenden Kleiderschrank, vorn rechts: Da! Alles da drin. Eins auf dem andern und alles sein gezeichnet. Wird wohl schon ganz gelb geworden sein. Sie hat den Schlüssel — aber in die ganzen zwei Jahre hat sie nichts angerührt.

Lieschen:

Hm. Na und die Betten? Die habt Ihr wohl wieder verkauft?

Sophie

entrüstet:

Verkauft? Du bist woll ... Hast Du 'ne Ahnung von wegen verkauft! Mit einer Bewegung nach hinten: Willst mal sehn?

Lieschen:

Ne laß man, glaub's schon. — Na also: da sind sie ja sein raus. Brauchen bloß wieder anzufangen, wo sie aufgehört haben. Sie haben ja auch beide lang genug warten müssen — der arme Kerl! Lauernd: Na, und Hanna?

Sophie:

Was denn?

Lieschen:

Na — ick meine man ... die hat sich doch ...
die ist doch wohl ... in de Zwischenzeit 'n bisken ...
verändert. Wie?

Sophie
seufzend:

Ach ja! — Wenn sie nur erst käme!

Lieschen:

Hm ... ja ... Ich habe gehört: um die Ver=
sammlungen und so ... soll sie sich ja gar nicht
mehr kümmern. Wie?

Sophie:

Ach! Von Garnichts will sie mehr was wissen.
Ede zankt mit ihr alle naselang. Denk mal: Hanna,
die doch früher immer so ... so sehr für sowat
war — nich?

Lieschen:

Die — na ich danke! Also is se woll gar
nich mehr in de Partei?

Sophie:

Ich weeß nich. Aus'n Verein ist sie raus.
Allens nieder gelegt; und mit ihre frühere Freunde
und Bekannte überhaupt ... kommt sie schon garnicht
mehr zusammen. Die sind jetzt auch alle furchtbar
tück'sch auf sie, kannst Dir ja denken.

Lieschen

Hast de Wörter? kordial: Sie bummelt woll
tüchtig, he?

Sophie

laut:

O nein! O nein!

Lieschen:

Na? Ick meene: Sie hat sich so'n biszken als Dame frisiert, wat?

Sophie:

Nein, nein. Was ich Dir sage! — Wo denkst Du hin! Wie die aufs Jeschäft is! Und sie ist jetzt sowas Besseres, mußt Du wissen ... wie 'ne Directrise oder so.

Lieschen:

Immer noch in die Kindergardrobe?

Sophie:

Immer noch. Na, was glaubst Du wohl. Sie kauft jetzt anch ein für sie ... denk mal! Und die Modelle, die sie macht! Dabrauf kriegen sie immer die allermeisten Bestellungen. Na — sie verdient ja auch ein schönes Geld. Vierzig Dahler im Monat! Ja, ja, mein liebes Lieschen: das is 'ne Sache!

Lieschen:

Ja, ja ... Ja: bei Euch überhaupt! Wie dabei Onkel noch 'n Nörgler is ... wo er doch selber so gut verdient und Du hältst es so zusammen und das eine Kind hat er man und die ... Ne, weeßte: ich kann es einfach gar nicht begreifen. Demütig vertraulich: Du weeßte Tante, sieh mal: Mutter, unsere jute arme Mutter, die sitzt doch nun immer so da und kann sich kaum rühren und reine garnischt verdienen ... und der Richard is anch so'n Schlingel und

manchmal hab'n wer, weeß Gott nischt zu knabbern
un zu beißen und ... und es is doch nu mal Deine
Schwester, Tantchen ...

Sophie:

Ach, die arme Wally. Ja — ja ... Na aber
verdienst Du denn noch immer nichts?

Lieschen:

Ach jawoll! Aber unser Oller, der verflixte
Kerl hat uns ja schon wieder fünf Pfennig von's
Dutzend Kragen abgeknöppt! Wirklich — es lohnt
sich nicht mehr anzufangen! Tantchen! Möch'ste uns
nich auf'n paar Tage einen Dahler borgen? Wir
haben wahrhaftjen Jott balde janischt mehr im Hause.

Sophie
sieht zu Lieschen hinüber:

Hm. Na — ich will Dir was sagen. Morgen
früh werd ich mal rán kommen und werd mal sehen,
was die Wally braucht. Verstehste?

Lieschen:

Aber Tantchen ... weshalb ...

Sophie:

Wie? — Ja, weißt Du: es is man bloß —
Du vergißt es vielleicht wieder.

Lieschen:

Wa ...

Sophie:

Ja, ja. So, wie neulich. Gott das kann ja
vorkommen. — Wally wußte von nischt.

Lieschen

verlegen, aber doch frech:

Ach — von wegen . . . Schweigen. Lieschen sieht umher, sie bemerkt den Tisch mit Büchern am Fenster links, steht auf und geht hin: Was liegt denn da eigentlich alles rum?

Sophie:

Das? Ach, das sind Hannas Bücher. Weiß der liebe Himmel, was das alles für Zeug is. Ach ne! Wo das Mädchen aber auch bleibt!

Lieschen

bissig:

No — das wird doch woll keene so'ne jroße Seltenheit sind . . . sie hat doch jedenfalls 'n Haus= schlüssel!

Sophie

sofort pikiert:

Na sei Du man ganz stille, weeßte. In Dein'n Alter durft' sie mir überhaupt noch nich for die Thüre, verstehste.

Lieschen:

So so. Na ja — aber später, wie sie immer in die Versammlungen ging und so . . . nich wahr? Und immer ihre klugen Reden hielt, von denen keen Mensch was verstand . . . wie? Nu ja: Du konnt'st ja doch nich immer mitloofen . . . es wär' Dir als Mutter woll'n bißken scheenierlich gewesen, wenn Du ihr so bei ihre Predigten hätt'st zuhören müssen un . . . un . . . un — hätt'st schließlich doch nischt verstanden!

2*

Sophie
wütend:

Lieschen! — — Nu borg' ich Dir den Dahler grade nich!

Lieschen:

P — hö!

Sophie:

Wo sie nu schon ihre siebenundzwanzig Jahr alt ist, und überhaupt so'ne verständige Person, wie unsere Hanna! Wegen der brauchen wir gottlob um sowas keene Bange zu haben. Die is nich so .. daß sie mal heute mit dem und morgen mit dem loost, wie — andere.

Lieschen:

So, so. Na, Du mußt et ja wissen.

Sophie:

Ja: das weeß ich ooch!

Lieschen:

Ja, ja: ick weeß ooch —: die brave Hanna, die brave Hanna! Hab't ja oft genug zu hören gekriegt .. solang ich mir besinnen kann —: da nimm Dir mal 'n Muster dran! Was die ihre Eltern für Freude macht! So — und so — und so — der reenste Tugendbesen — na! —: ich will Dir mal was sagen, Tante: ich rede gewiß keinem gerne was Schlechtes nach — und am allerwenigsten meiner leibhaftigen Cousine — a — ber: das muß ich Dir denn doch sagen: mir machste nischt weiß — und bei die wird ooch man bloß mit Wasser gekocht!

Sophie
außer sich, stammelt:

Li .. li .. lieschen ...

Lieschen
läßt sie nicht zu Worte kommen. Lauter:

Und wenn u n s e r e i n s wirklich mal mit einem
loost — du lieber Gott, nun ja: was hat man denn
sonst vom Leben — die — die — nun ja: die fährt
freilich lieber! Is jesünder for die Stiebelsohlen!

Sophie:

Mächen, Du ...

Lieschen
schneidet ihr frech das Wort ab:

Ja, ja, ja, ja — sei man ganz stille —: wat
ick jesehen habe, det hab' ick jesehn! Da is nischt zu
wollen! Ich wollt's Dir zwar eigentlich n i c h t sagen
— aber wenn Du mir so kommst — g r a d e!
Vorgestern Abend war's .. zwar schon duster ..
aber bei des Elektrische —: ganz genau hab' ich sie
gesehn: mit 'n Herrn in 'ne Kutsche — nich in 'ne
Droschke — ooch nich in 'ne erste Jüte —: i Jott
bewahre: is ihr ja allens viel zu poplich — in 'ne
— in 'ne P r i v a t e q u i p a g e!

Sophie:
Das ist nicht w a h r.

Lieschen:
Das ist w o h l wahr. Siehste!

Sophie
schreiend:

Nein: Das ist n i c h t wahr! Das hast Du

gelogen! Sowas thut unsere Hanne nicht. Weinerlich: Da sterbt se lieber! Schluchzt.

Lieschen:

Na, man sachte, was ist denn schließlich dabei? Ich —

Sophie

mit plötzlichem Ausfall:

Du, ja Du .. Du möcht'st woll gerne, daß sie ooch so'n Flittjen wäre — aber ne — ne! Gottseidank! Solche Streiche brauchen wir uns bei der nicht zu besehn. Ich weiß ja: Du — Es klingelt: Das ist sie! Das ist sie ganz bestimmt! Eilt nach rechts: Sie wird's Dir schon besorgen! Sie wird's Dir schon anstreichen. Ab.

Lieschen

gleichzeitig und nachrufend:

Int Jesicht sag' ick's ihr .. int Jesicht! Sie wird mir doch nicht ausreden wollen, was ich mit diese beiden Oogen jesehen habe!

Sophie

kommt mit Hanna zurück, die sie förmlich ins Zimmer zieht:

Stell' Dir bloß vor! Hier — det Mächen! Hab' Dir doch erzählt, wie sie neulich is gekommen und hat mir'n Dahler abgeknöppt —: „für ihre arme kranke Mutter!" Andern Tag's komm ich hin —: keen Dahler un keen Liesken! Is de ganze Nacht nich zu Hause gekommen. So'ne Pflanze! Und heute kommt sie wieder ran, will wieder 'n Dahler .. und wie 'ch 'n nu nich jleich geben will, denn wozu? die Wally braucht'n doch wirklich — wird se tück'sch und kommt mir mit Spitzfindig= keiten und will mir ärgern. Und weeßte, was se

sagt? Weeßte, was se sagt?! Sie hätte Dir mit
'n Herrn in 'ne Kutsche gesehen, sagt se .. Und nich
in 'ne Droschke, ooch nich in 'ne erste Jüte, ne ..
stell' Dir vor —: in 'ne **Privatequipage!**

Pause.

Lieschen
trotzig:

Mit zwee Rappen.

Sophie:

Det freche Frauenzimmer! Wie sie lügt!

Lieschen
frech zu Hanna:

He? Is woll nich wahr? Vorgestern Abend!
Unter die Linden! — He?

Hanna

groß, schlank, brünett. Sie trägt die etwas spröden Haare,
ohne jede Stirnlocke, gescheitelt. Ruhige, selbstbewußte
Haltung, große Schritte, Altstimme. Sie ist schwarz, mit
Einfachheit gekleidet. Sie hat die Eigentümlichkeit, bevor sie
spricht, die Person, mit der sie spricht oder der sie antwortet,
erst einen Augenblick überlegend anzuschauen. Zu ihrer
Mutter:

Du willst, daß ich ihr antworte?

Lieschen
höhnisch:

Na nu ne!

Sophie
gleichzeitig:

Aber .. na — jewiß doch!

Hanna
richtet den Blick auf Lieschen:

Ja. Es ist richtig. Ich bin Donnerstag Abend mit einem Herrn .. in dessen Wagen .. die Linden entlang gefahren.

Sie geht an ihr vorbei nach links, wo sie ihre Sachen ablegt.

Lieschen
zu Sophie:

Na? Wie steh' ich n u da?

Sophie
furchtsam:

Hanna .. wie .. wie ..

Lieschen
schneidend:

Da wird sich Conrad Thieme aber freuen!

Hanna:

Dem werd ich es schon rechtzeitig schreiben!

Lieschen
lacht hell auf:

Kannst'n ja och telephoniren.

Sophie:

Aber Kind, so .. so sprich doch, erkläre uns doch .. was soll denn Lieschen denken, wofür soll sie Dich denn halten?

Hanna:

Was sie mag. Für ihresgleichen.

Lieschen
wie geohrfeigt, in heller Wut:

Was? Wie? für meinesgleichen? Bitte, liebe

Cousine, willst Du mir mal erklären, was Du damit
sagen willst! Ja?

Hanna
zu Sophie:

Mutter! In Lieschens Gegenwart ... erlaß
mir —

Lieschen
schneidend dazwischen:

Ach so, ja ja — versteh' schon! Mich kann sie
eben nicht dumm machen. Wir kennen den Rummel!
Aber siehste! Det is es ja grade, worüber ick mir
immer so schauderös ärgern muß! Dies Vornehm=
thun und dies — immer will se was Besseres
rausbeißen und spielt sich uff wie 'ne Jeborne! Ä!
Ick gebe mir wenigstens for das, was ick bin, und
habe mich nich so und mache aus meinem Herzen
keene Mördergrube. — Aber laß man jut sin,
Cousinchen, laß man jut sin —: wenn Conrad
jetzt kommt, dem wer' ick's schon stecken! Gleich
heute! Auf der Stelle!

Hanna
verliert ihre bisherige Fassung:
Was .. heißt das?

Lieschen
triumphierend:

Ja, ja: Cousinchen: Conrad Thieme, Dein
Bräutigam Conrad Thieme! Ganz glücklich bin
ich, daß ich die Erste bin, die Dir die frohe Nach=
richt bringt ... Jede Minute kann er jetzt hier
herein kommen: jede Minute! Zu Sophie: Siehst
es Taute, siehst es: das böse Gewissen! Das paßt

Dir woll nich — he? Du hättst'n woll nich be=
gnadigt — was? Hättst'n lieber noch'n Jährchen
brummen laſſen — wie? Ja! — Ach ja! Spazieren=
fahren is ja ſo'ne ſchöne Sache, ſo'ne ſchöne Sache!
— Aber dem ſoll 'n Talglicht uffjehn.

Hanna
furchtſam, leiſe:

Mutter — iſt das — wahr?

Sophie
nickt traurig und beobachtet ſie.

Hanna
zuckt zuſammen.

Sophie
erſchreckt aufſchreiend:

Hanna!

Lieschen:

Ja ja: Kannſt ruhig glauben, was ich Dir
ſage. — „Unangenehm“ — was? „Es iſt im
Leben häßlich eingerichtet“ . . .

Sophie:

Sie müßten ſchon längſt zurück ſein. Wir —
wollten Dich — überraſchen.

Lieschen
lacht, ſchickt ſich zum Gehen an.

Hanna.
greift ebenfalls nach ihren Sachen:

Dann muß ich . . .

— 26 —

Sophie
in Schluchzen ausbrechend:

O mein Gott, mein Gott . . .

Läßt sich auf einen Stuhl fallen.

Hanna
bleibt mit sich kämpfend in der Mitte der Bühne stehen.
Sie richtet den Blick voll Verachtung auf Lieschen).

Lieschen
vor diesem Blick zurückweichend:

Na, nu kann ich ja gehn. Jetzt wird mir die
Jeschichte zu plümerant. Will det Wiedersehn nich
stören . . . Aber das wollt' ich ja bloß sagen: man
soll nicht mit Steine schmeißen, wenn man selber
mang die Fenster sitzt. — Tjöh.

Es antwortet ihr niemand. Sie geht rechts ab.

Pause.

Hanna
nähert sich langsam ihrer weinenden Mutter und legt die
rechte Hand auf ihre Schulter:

Mutter. Liebe Mutter — weine doch nicht.
— Ich weiß — was ich gethan habe. Hab es
anch gewußt — als ich es that. Ich bereue nichts.
Ich kann mich durchaus verantworten — vor mir
selber. Hoffentlich anch vor Dir, nur .. nur jetzt ..
nach dem Ton, den Lieschen angeschlagen hat ..
ich muß mich erst wieder .. zurecht finden. Und
dann .. ist auch jetzt keine Zeit, Dir das alles zu
erklären. Lebhaft: Mutter, liebe Mutter: ich bitte
Dich: laß mich .. ihm aus dem Wege gehn, heute
den ersten Abend .. laß mich! Es ist besser.

Sophie

sieht mit einem durchdringenden, forschenden Blick zu ihr auf.

Hanna

kniet nieder, angstvoll:

Oh! … Denke nicht schlecht von mir, Mutter!
Mach' mich nicht irre an mir! Hörst Du? Nur
das nicht! Du hast mir ja immer vertraut .. sonst ..
allezeit …

Sophie:

Ja — immer — bis heute.

Hanna:

Mutter! Um Gotteswillen, sprich nicht so!
Sprich nicht so! Wenn Du mich dahin brächtest!
.. daß ich bereute … Mutter!

Sophie

fährt in die Höhe:

Horch! Kommen sie nicht? Geh zur Thür, geh!

Hanna

springt auf, nach rechts, horcht hinab. Man hört eine Thür
ins Schloß fallen.

Nein. Nichts. Es war unter uns. Alles
still. — Es ist noch Zeit —

Sophie:

Noch — Zeit?

Hanna

Ja. — Du sagst, Tante Wally wäre kränker
geworden .. ich müßte bei ihr wachen. Später,
morgen …

Sophie:

Hanna! — Du trauſt'n Dir nich in die Augen
zu ſehn — und Du willſt ein gutes Gewiſſen
haben?

Hanna:

Quäle mich doch nicht ſo furchtbar! — *Wie
für ſich:* Gewiß! Ja! Ich habe ein gutes Gewiſſen.
Ein neues vielleicht, aber . . . Ja! — Und dies
iſt nun der Kampf mit dem alten. Damit muß ich
fertig werden, ich wäre ja ſonſt . . . *Mit einer ab-
weiſenden Gebärde:* Nein! Es iſt ja nur . . . Ich habe
noch nicht den rechten Mut .. dieſe dumme Über-
raſchung, daß man ſo gar nicht daran dachte .. und
noch dazu dieſe rohe Art, in der es einem mitgeteilt
wurde . . . Ich muß mir nur — *mit geſunkener
Stimme:* ſelber treu bleiben. Feſt: Das iſt alles!
*Man hört plötzlich Lärm im Treppenhaus. Hanna, welche
die letzten Worte eben noch mit einer erzwungenen Feſtigkeit
geſprochen hat, fährt, ganz unvermittelt, jäh zuſammen und
beginnt vor Angſt zu zittern. — Draußen lauter werdende
Schritte . .*

Sophie:

Nun — mußt Du wohl dableiben. *Mit trau-
rigem Spott:* Oder willſt Du Dich vielleicht ver-
ſtecken?

Hanna:

Mutter —
Man hört, wie die äußere Korridorthür geöffnet wird.

Eine tiefe Baßſtimme
draußen:

Nu noch einmal: unſer hochverehrter Freund
und Genoſſe, der Strafgefangene a. D. Conrad

Thieme — er lebe hoch, und abermals hoch — und zum drittenmale: hoch! Lachen, dann Hochrufe.

Eine singende Stimme:

„Ein Sohn des Volkes will ich sein .. will ich sein .. und bleiben!"

Alles fällt brüllend ein. Dann zahlreiche: „Pst!" „Pst!" „Ruhe!"

Conrads Stimme:

Danke, Genossen, danke, danke! Nu — Aber nu — lebt wohl!

Eduards Stimme
einfallend:

Ne, so kommt doch mit rein! Ach was ... Immer rin in die gute Stube.

Verschiedene
durch Lachen unterbrochen:

Ne, ne, ne. Was würde Deine Hanna sagen! Ne, ne ...

Conrads Stimme
einfallend:

Ne, ne? ich bin auch zu —

Eine breite Stimme
fast gleichzeitig:

Anjegriffen — wat? Gelächter.

Conrad:

Na ja denn — gut. Gut' Nacht!

Die Stimmen
durcheinander:

Gut' Nacht! Viel Vergnügen! Gut' Nacht!
Verlieren sich.

Man hört, wie die äußere Korridorthüre geschlossen wird. Während des Vorgangs draußen, spielt sich auf der Scene Folgendes ab.

Hanna

steht angstvoll lauschend da. Sowie sie Conrads Stimme hört, flüchtet sie in unwillkürlicher Angst zu ihrer Mutter. Flüsternd:

Er ist es.

Sophie:

Ja. Bitter: Du hast wirklich nicht den rechten Mut. — Hast Du das gehört: „was würde Deine Hanna sagen!"

Hanna

rafft sich auf:

Wir — müssen ihnen entgegen gehen. Sie ringt nach Selbstbeherrschung und geht auf die Thür rechts los. Sobald sie mitten auf der Bühne angelangt ist, fliegt die Thür auf.

Conrad

stürmt hinein.

Eduard

erscheint hinter ihm in der Thür.

Hanna

bleibt fest an ihrem Platze.

Sophie

erhebt sich und geht den beiden entgegen.

Conrad

mit ausgebreiteten Armen auf Hanna los, ekstatisch:

Hanna!

Hanna

weicht unwillkürlich ein wenig zurück. Dann aber reicht sie
ihm mit anscheinender Ungezwungenheit beide Hände. Leise:

Conrad — willkommen! Will — kommen.
Wie ... Welche .. Sie stockt. Einen Augenblick atem=
lose Pause.

Conrad

hält Hannas Hände fest und beschaut sie erstaunt und be=
wundernd. Sie senkt den Kopf.

Sophie

vortretend:

Welche Freude — meint sie.

Eduard:

Ja, ja! Das is mal 'ne Ueberraschung! He?
Die is nich von schlechten Eltern! Lacht dröhnend:

Conrad

zu Sophie:

Ach — Frau Jagert! Na — da sind Sie ja
auch wieder! Und sehn so gut und so gesund aus
— ganz die Alte!

Sophie:

Ach ja — man wird alt. Aber kommen
Sie ...

Conrad

fröhlich:

Ne .. ne: Sie wollen mich bloß nich verstehn.
Von wegen alt! — Keene Spur! Ich meine nur:

unverändert, ganz unverändert — wie vor zwei Jahren. Schaut sich um: Hier — hier ist überhaupt alles unverändert! Wie — Hanna?

Hanna

versucht zu sprechen — schweigt — schüttelt den Kopf.

Sophie

gleichzeitig mit Eduard:

Ach ne, was denken Sie woll, Conrad. Hanna ist viel weiter gekommen! Viel weiter! Hat sie Ihnen denn das nicht geschrieben? Sie ist zwar noch immer bei Lorenzen, aber . . . .

Eduard

gleichzeitig beginnend:

Glaub' nur sowas nich. Die is überhaupt — na! — Die is 'ne ganz andre geworden, die versteht keen Mensch mehr! Natürlich — was so'n Gelehrter ist, wie Du — Du wirst vielleicht dahinter kommen. Geld? O ja! Hat sie immer! Darin is se groß! Aber — denkt nur noch an sich — nur noch an sich, sag ich Dir! Kooft sich Bücher, jeht ins Theater! Un bekiekt sich von innen. De Partei — nich sehn — nich in de Hand! Ja — ja! Na — aber komm! Setz' Dir mal erst hin. Du wirst schön müde sein. Geleitet ihn an den Tisch: Hier! Hier in de Sofaecke! So. — Willste was trinken?

Sophie:

Oder essen?

Conrad

zerstreut, blickt nach Hanna:

Danke. Danke. Habe ja erst vorhin .. auf dem Bahnhof .. Setz Dich doch hierher, Hans.

Hanna

setzt sich schweigend auf den Stuhl neben ihm.

Conrad

nimmt ihre Hand und streichelt sie:

Nu..? Sieh mich doch mal an.. ist es so?

Hanna

sieht ihn an:

— Ja. Ich — an all das — ich glaube nicht mehr recht daran. Das heißt — daß wir es noch erleben müßten. Sieh mal...

Eduard

brummig:

Hm? Und deshalb legt'se die Hände in'n Schoß. Schöner Grund!

Hanna:

Ich — meine: ich thue vielleicht viel mehr, wenn ich.. an mir, an mir selber.. arbeite..

Eduard:

Ja, ja — „man lebt blos enmal" — nicht wahr?

Hanna:

Der einzeln Mensch — ja. Und der hat vielleicht.. auch seinen Wert. Etwas lebhafter: Denn weißt Du: das hab' ich nun wirklich erfahren —: die Menschen im allgemeinen werden nicht besser dadurch, daß sie die Macht bekommen.

Conrad:

Hans! Siehst Du! Da erkenne ich Dich so recht dran wieder! Immer tüfteln und spintisieren!

Ach ich merk' schon: das ist alles nur halb so
schlimm: Du bist doch immer noch meine alte,
kreuzbrave und kluge, riesig kluge Hanna — wie?

Sophie:

Ach, Conrad: sehn Sie: die Hauptsache is ja
nur: sie hat ja zu viel Ärger gehabt. Wissen Sie:
so'ne Jemeinheiten, wie da immer vorgekommen
sind .. na! Ich kann's ihr nich verdenken.

Eduard:

Ach Unsinn!

Conrad
zu Hanna:

Wirklich?

Hanna:

Ja — laß mich mal reden. — Sieh mal:
wenn man schnell vorwärts geht — irgendwohin,
auf ein bestimmtes Ziel los, das ganz nahe ist —
oder man glaubt es wenigstens ganz nah — dann
achtet man ja gar nicht so auf den Weg — man
... geht eben frisch drauf los. — Aber wenn man
nun auf einmal merkt oder erfährt: das .. das Ziel
ist garnicht nahe — es ist noch weit, meilenweit —
oder? — es giebt womöglich gar kein Ziel? — dann,
siehst Du, dann — bekümmert man sich plötzlich auch
um den Weg — auf dem man geht. Und wenn man
dann findet, daß der schmutzig ist — na!... Und
doch! Du hast im Grunde ganz recht, ich bin gewiß
dieselbe geblieben, wie früher, nur —

Conrad:

Hm?

3*

Hanna:

Ich meine —: wenn man sich daran gewöhnt, über alles selber nachzudenken ...

Eduard:

Na ja! Da hast es! Det is so die rechte Höhe! „Über alles selber nachdenken!" Na, ick danke! Wenn das alle machen wollten — da könnte wat Nettes bei rauskommen!

Conrad:

Aber laß sie doch aussprechen. Nnn? Also, was ist dann, wenn man sich daran gewöhnt hat?

Hanna:

Dann — nun, dann kommt man leicht zu neuen Ansichten — über —

Conrad:

Worüber?

Hanna:

Über alles. Über das ganze Leben .. Verlegen: und so ..

Conrad:

Aber — es giebt doch auch — Sachen, denk ich, die — na, die nicht „Ansichtsachen" sind — wie?

Hanna

sieht ihm ins Gesicht. Nach kurzem Nachdenken: Nein.

Conrad

will sprechen, schweigt betroffen.

Eduard:

Na nu hört aber mal auf! Klugschmusen könnt
Ihr immer noch! Sehe gar nich ein, was Ihr Euch
gleich in der ersten Stunde in so'n ungemütliches
Gerede rinredet. — Zu Conrad: Komm mal hier!
Er steht dem Sofa gegenüber vor dem Tisch. Er winkt
Conrad, aufzustehen und sich neben ihn zu stellen.

Conrad
indem er gehorcht:

Was soll ich denn?

Eduard
legt ihm die rechte Hand auf die Schulter und zeigt mit der
linken auf den Stahlstich, ein lebensgroßes Porträt Lassalles:

Sieh mal da! Pathetisch: Dein Mobiliar!

Conrad
erfreut:

Wahrhaftig! Da hängt es!

Eduard

Mehr haste nich jehabt.

Hanna
versucht sich zu entfernen.

Sophie:

Hanna, leucht doch mal.

Hanna
hält die Lampe in die Höhe.

Conrad:

O! Und einen neuen Rahmen scheint mein
Mobiliar anch gekriegt zu haben.

Eduard:

Na, natürlich. Das war ja nischt mit dem alten. Aber sein jetzt — was?

Conrad:

Sehr . . .

Hanna

stellt die Lampe wieder hin.

Eduard:

In Plötzensee hatten sie Dir woll keinen Lassalle an de Wand jehangen — was? Ja, ja! Darin sind se komisch! Was 'n richtiger Zimmerschmuck ist — davor haben se keen Verständnis. Das kann man nur zu Hause haben — bei Muttern.

Conrad:

Ja freilich — zu Hanse . . . Er faßt wie dankend Eduards Hand und drückt sie. Leise: Zu Hanse. Seufzt: Aber Hanna — soll ich Dir was sagen? Ich glaub es nicht. Ich — fühle mich doch noch nicht so recht — so wirklich zu Hause — eh Du mir nicht . . . erst wieder . . . einen Kuß gege — Da Hanna eine plötzliche Bewegung des Schreckens macht: Hm? Was meinst Du?

Sophie

nähert sich ängstlich und will sprechen. Auf einen fragenden Blick Eduards hält sie jedoch plötzlich inne.

Hanna

tritt mit niedergeschlagenen Augen langsam näher. Schweigend bietet sie sich ihm an.

Conrad

hat sie in atemloser Spannung beobachtet. Plötzlich laut, freudig:

Hanna! Er umfaßt sie leidenschaftlich und küßt sie wiederholt: Du — ach Du! — Du bist es ja doch noch! Meine Hanna, meine ... meine ...

Hanna

wird sich in seiner stürmischen Umarmung ihrer unsittlichen Feigheit bewußt. In größter Scham und Aufregung macht sie sich gewaltsam von ihm los. Keuchend:

Laß mich ... laß ... Eilt nach hinten.

Pause.

Conrad

bleibt starr vor Staunen stehen, sieht ihr nach und blickt dann die beiden Alten fragend an. Heiser:

Was — was bedeutet das?

Eduard

unwirsch:

Weiß ich's — was die wieder im Schädel hat! Ich sage ja —: kein Mensch wird mehr klug aus ihr. Überspanntes Frauenzimmer! Deutet auf die Stirn: Hier! Verstehste? Heiraten muß se. Is die höchste Pferdebahn! Geht durchs Zimmer. Sein Ärger wächst.

Sophie

macht sich verlegen zu schaffen.

Eduard:

Aber laß man gut sin! Wir werden ihr schon Raison beibringen! Deuwel auch! Was sich so'n Frauenzimmer einbildet! Zu Sophie, barsch: Ruf sie rein!

Sophie
bittend:

Ach, Ede: willste ihr nicht . . . Laß se doch man lieber zufrieden. Ihr fehlt jewiß wat.

Eduard:

Ruf' sie rin! sag ich. Paßt sich nicht: — so wegzulaufen. Kene Manier!

Sophie
geht zögernd nach hinten zur Thür.

Conrad:

Na, aber — wenn Deine Frau meint, wollen wir sie nicht doch lieber erstmal . . .

Sophie
bleibt nah der Thür stehen.

Conrad:

Ich meine —: sie ist vielleicht nur so überrascht, so . . . ihre Nerven —

Eduard
aufbrausend, höhnisch wütend:

Nerven? Gebieterische Handbewegung zur Thür.

Sophie
ab.

Eduard
durchs Zimmer gehend:

Doch noch! Ne, mein Junge! Det jibt's nich! Hier bei mir zu Hause, weeß man, Jottlob, noch nischt von de Nerven. Weibermucken! Sowas müßte erst injeführt werden. — Hier heißt et parieren, ver=

stehste! Parieren — und damit Schluß! So setz Dich doch! Rückt mit einer unwillig heftigen Bewegung einen Stuhl zurecht und setzt sich. Stopft sich eine kurze Pfeife. Pause.

Conrad:

Wieviel — verdient Hanna jetzt?

Eduard:

Ach — und wennse tausend Dahler verdiente... Dat sind so'ne Ideen!

Conrad:

Aber ...

Eduard:

Weß schon! Weß schon: Du bist anch so einer. Wie der Wilke ... quatscht ooch immer 'ne Rath zusammen von de „Frau — en — emen — zipa — tzion"! Ja — Kuchen! Möchte mal wissen, was das mit die Arbeitersache zu thun hat. Das Einzige —: sie drücken die Löhne. Pä! Was gehen uns die Weiber an.

Conrad:

Na, aber hörmal ...

Eduard:

Ne, weeßte: damit mußte mir nu nich kommen. — Später — wenn Du mal soweit bist und die Hanna ist Deine Frau — na, denn kannst es ja halten wie der Pfarrer Aßmann ... denn kannste se meinswegen in Hosen rumloofen lassen. Lacht ingrimmig und steckt sich seine Pfeife an: Pä!

Conrad:

Na, weeßte — mir is es nich zum Spaßen.

Eduard:

Na, denkste vielleicht m i r?

Pause.

Conrad

setzt sich hinter den Tisch.

Eduard

sitzt vorn. Er trommelt mit der linken Hand auf den Tisch,
von Conrad abgewandt.

Conrad

aus seinen Gedanken heraus, indem er mit der Hand auf
den Tisch schlägt:

S' is doch kein Kind mehr! Mit ihre sieben=
undzwanzig Jahr ... Und hat im kleinen Finger
mehr Verstand, wie so'n Dutzend werte Jenossen in
ihre sämtliche Dickschädel! — Na also! Wo darfste
die denn nu so mir nichts dir nichts kommandieren
wollen wie'n Lehrjungen!

Eduard:

Ich bin ihr Vater. Basta.

Conrad:

Aber Mensch! Wie kannste nu so was sagen!
Also deshalb bist Du ihr Herr!? Das is doch nichts
Natürliches! Das is doch nur 'ne Folge von ganz
schauderöse ökenomische Zustände! Grade von solche
Zustände, wie wir sie umschmeißen wollen. Ver=
stehste denn das nich?

Eduard
passend:

Ne — ganz und gar nich.

Conrad:

Na aber! Bedenk' doch mal! Sieh mal: die
Hanna .. die kann doch sehr schön leben — nicht
wahr? Du giebst ihr doch nichts dazu. — Na
also. So is es doch bloß ihr guter Wille und weil
sie Euch gern hat und sie ist es auch so gewohnt
— sonst — sie kann doch - jede Stunde auf und
davon gehn .. und was willste denn da machen?
Das ist doch 'ne ganz andre Sache, wie mit so'ne
Burschoatochter. Die natürlich hat nichts
gelernt und hat von der ganzen Welt keine Ahnung.
Und wenn sie nicht zufällig einer nimmt und macht
se zur Gnädigen .. und der Vater macht mal die
Augen zu — nu ja: dann sitzt sie da mit die
Talente und mit's Klavierspielen, und kann froh
sind, wenn sie noch irgend wo so als alte Junfernante
unterkriechen kann. — — Siehste: bei so einer hat's
en Sinn, wenn sie auch noch als 'ne ganz alte
Schachtel Vatern parieren muß, wie 'n Rekrut.
Was soll se denn machen? Se muß doch leben! —
— Aber sind denn das etwa Verhältnisse, wie wir
sie wollen? Ich dächte, da hätten wir sie selber
schon besser. Denn das sind doch verrückte, das
sind doch jradezu blödsinnige Zustände und so'n armes
Mädchen kann einem doch bloß leid thun. Wie?

Eduard
raucht schweigend.

Conrad:

Freuen solltste Dich, daß die Hanna so ganz
anders dasteht! Siehste: das ist ja das Beste an

ihr: diese **Selbständigkeit!** Das ist es ja grade, was ich so riesig an ihr verehre! Jawohl: verehre!

Eduard
verstockt:

Na — ich danke.

Conrad
hitzig:

Was denn! Das mußt Du doch einsehen!

Eduard:

Ne — das will nu jarnich in meinen ver=fluchten alten Schädel rin.

Conrad:

Aber —

Eduard:

Ja, ja — Du kannst ja lange reden, eh mir was gefällt. — Meine Meinung is nu mal: Familie bleibt Familie — ob sie nu reich is — oder arm. Sonst hört ja alles auf. Du bist en Umstürzler.

Conrad
steht auf:

So! — Und meine Meinung is: tyrannisieren bleibt tyrannisieren, ob's nu von so'n Landjunker jemacht wird .. mit de Hundepeitsche .. oder von 'n Vater, der sich einbildet Sozialdemokrat zu sein —

Eduard
gereizt, steht ebenfalls auf:

Nu hör aber auf! Deuwel auch, das ist . . .

Conrad

jähzornig:

Ach was: „Deuwel auch!" .. Spießbürger seid Ihr! Spießbürger alle zusammen, aber keine Sozialdemokraten!

Eduard

vor Wut sprachlos.

Conrad

in großer Erregung:

Es ist wirklich .. es, es kommt wie gerufen! Gleich am ersten Tage .. gleich in den ersten Stunden .. wo ich noch kaum raus bin aus dem Kasten .. gleich muß ich es wieder so recht mit Händen greifen .. dieses jammervolle Philistertum, dieses, dieses ä! Das kann ich Dir sagen, Jagert —: hätt ich vor fünf Jahren, wo ich in die Bewegung eintrat, all das gewußt, was ich jetzt —

Man hört im hinteren Zimmer einen Stuhl fallen. Conrad hält inne und sieht nach hinten.

Hanna

erscheint, hastig. Sie trägt eine Reisetasche, die sie auf einen Stuhl stellt.

Sophie

kommt weinend hinter ihr her.

Eduard

hat während der letzten hitzig hervorgestoßenen Worte Conrads verschiedentlich zum Sprechen angesetzt. Durch das plötzliche Geräusch und das Auftreten Hannas ist auch er abgelenkt.

Zu Sophie:

Na, was is denn?

Sophie
flehentlich:

Laß sie zu Bett gehen, Ede! Bitte! Sie ist
krank. Sie weiß garnicht, was sie will, sie .. sie ..

Courad
hat ausschließlich Hanna beobachtet. Er tritt ihr näher:

Hanna — Du — haft mir was zu sagen.

Hanna
sehr bleich, aber fest und sicher. Sie erwidert seinen Blick
und hält ihn aus:

— Ja!

Pause.

Hanna
kommt langsam nach vorn:

Es war feige von mir .. vorhin, mein Benehmen.
Wie die Dinge nun einmal liegen .. muß ich ...
Aber glaube mir: es gehört Mut dazu. — Daß ich
Dir nicht ins Gefängnis geschrieben habe .. das
wirst Du wohl verstehn. Wir dachten ja alle, Du
würdest noch ein Jahr dort bleiben, und da wollt
ich Dir erst schreiben .. kurz vor der Entlassung ...

Conrad
vor Angst bebend. Leise:

Hanna!

Hanna
ringt mit ihrer Kraft.

Eduard
schlägt sich vor den Kopf:

Bin ich denn verrückt? Wo zum Deuwel soll
denn das hinaus?

Hanna

mit einer ruhig abwehrenden Gebärde, den Blick auf Conrad gerichtet:

Laß mich jetzt, Vater! — Erinnere Dich, Conrad, wie es damals —

Conrad

von einer plötzlichen Schwäche befallen, muß sich an den Tisch stützen.

Hanna

mitleidig:

Ach, siehst Du — Dir ist nicht wohl. Mutter..

Sophie

jammernd:

Könnt Ihr's denn nu wirklich nich bis morgen lassen. Conrad, Sie haben doch heute nun schon so ville durchgemacht ...

Conrad

energisch:

Nein, nein, nein. Sprich nur: sprich nur weiter. — Also: woran soll ich mich erinnern?

Hanna

zögernd:

Daran, wie .. es damals eigentlich war. Ich meine: wie es so zugegangen ist .. daß wir uns .. verlobten.

Conrad

der sich im Folgenden mühsam aufrecht erhält, nervös:

O das weiß ich, daß weiß ich ... Ich habe Zeit gehabt .. ich habe auch Gelegenheit gehabt .. darüber nachzudenken ... Nu?

Hanna:

Damals, wo ich noch so ganz und gar im Partei=
leben aufging — kaum etwas Anderes kannte —
da warst Du für mich — ein Genosse. Ein Genosse,
für den ich die größte Verehrung hatte, den ich als
seine Schülerin bewunderte. Dagegen — als Weib...

Conrad:

Nun — „als Weib"?

Hanna:

Ach, Conrad: es ist so furchtbar schwer ..
für zwei Menschen .. sich zu verständigen .. nach
Jahren, wenn der eine sich während der Zeit weiter
entwickelt hat .. und der andere ..

Conrad:

.. ist der alte geblieben. Ja.

Hanna:

Also sieh. Das hab' ich Dir ja auch damals
nie verhehlt, daß ich nicht so wie Du ... Ich dachte
eben: ich wäre darin überhaupt anders, und solche
leidenschaftlichen Gefühle wären mir nun mal ver=
sagt. Das glaub ich auch jetzt noch, und: ich bin
darin immer ehrlich gewesen .. gegen Dich — und
gegen mich auch).

Conrad:

— Ja.

Hanna:

Nun waren wir aber zusammen thätig .. für
dieselbe Sache .. mit denselben Idealen .. und
dazu —: unter demselben Druck. So rückten wir zu=
sammen und gewöhnten uns aneinander. Und weil

wir so vieles gemeinschaftlich hofften, fürchteten und liebten — vergaßen wir wohl, daß es sich um etwas anderes, Drittes, um etwas außer uns handle — und nicht um uns selber. Verstehst Du mich?

Conrad:

— Ja.

Hanna.

Es ist nötig, Conrad, daß Du mich verstehst. Sieh: Du warst mein Kamerad .. fast stets mein Nebenmann .. in all der Arbeit, die wir beide für etwas Hohes, für etwas Heiliges hielten. Und wie sah ich zu Dir auf, zu Deinem ehrlichen, unerschütterlichen Mannesmut, zu Deinem festen Glauben — ja! —: zu dem besonders! · Der war mir das Wertvollste.

Conrad:

— Weiter.

Hanna

. leise:

So .. haben wir uns verlobt.

Conrad

krampfhaft, heftig:

So? Nein! So nicht. Ich nicht! Ich ganz gewiß nicht! Bei mir ging's nicht so vornehm zu. Viel gewöhnlicher, viel einfacher. Ja — ganz simpel! Du mußt es wirklich schon verzeihn: ich — ich verliebte mich in Dich — ich! Nimm's nicht übel. Das war ja damals, damals .. und ich habe mich inzwischen nicht so — entwickeln können — wie Du!

Hanna:

Conrad! Du —

Otto Erich Hartleben, Hanna Jagert.

— 49 —

Eduard
zu der leise schluchzenden Sophie:

Laß das Heulen! Verdammt! Paß auf! Hier kannst Du was lernen.

Conrad
immer nervöser:

Aber natürlich: Du — Du bist über so was erhaben! Was wäre denn das so besonderes! Eine .. Liebe .. eine einfache natürliche Empfindung ... Ih Gott bewahre! So was hätt'st Du ja schließlich mit jedem andern Frauenzimmer gemein — und Hanna — Hanna muß doch was Apartes haben. Hanna kann doch nicht ·...

Eduard
einfallend:

Siehste! Siehste! Da hast es mit Deiner Selbständigkeit! Jawoll! hochnäsig! hochnäsig — und dabei kalt wie 'ne Hundeschnauze ... Da hast es!

Conrad:

Und .. und .. ist das nun alles?

Hanna
leise:

Nein. — — — Vor einem Jahr etwa .. lernte ich einen Mann kennen. Der hat mich nach und nach zu einem ganz — ganz anderen Menschen gemacht. Und — ich habe mich ihm mit Leib und Seele hingeben müssen. Er...

Conrad
schlägt ein lautes Gelächter auf, aus dem er allmählich in ein krankhaftes Weinen übergeht.

Hanna

ohne jemanden anzusehn, wie für sich, bekennend, fest:

Ich that, was ich mußte. Ich konnte nicht anders.

Eduard

packt Sophie am Arm und schüttelt sie:

Hast es gehört, Alte? Hast's gehört? Schämst
Du Dich nicht? Es ist Deine Tochter!

Conrad:

Betrügen! Mich zu betrügen, während ich ...
während ich ... Oh wie niedrig! ... Also das war
es! Das! Dazu die vielen klugen Worte! Weiß
Gott, ja: Du hast viel Verstand! Du bringst es
fertig, die größten Gemeinheiten vor Dir selber zu
rechtfertigen! Das bringst Du fertig. Rauh: Wer
is es? Wie heißt er? Kenn ich ihn?

Hanna:

Nein.

Conrad:

Na — was nich is, kann ja noch werden.
Also, wie heißt er?

Hanna:

Könitz ... Alexander Könitz.

Conrad:

Und was is er?

Hanna

zögernd:

Er ... er ist Chemiker.

Conrad:

Chemiker? Chemiker. Nu ja .. aber, was, was

4*

— 51 —

heißt das? Wo arbeitet er denn? In welcher Fabrik,
oder — — — He?

Hanna:

Er hat . . selber eine . . Fabrik.

Conrad:

Hat se . .? Ja — brikbesitzer?! Einen
Augenblick sprachlos. Dann mit tollem, rohem Lachen, brutal:
Bravo! Vorzüglich! Fabrikbesitzer! Auch das noch!
Also daher das viele Geld — verkauft hast Du Dich,
richtig verkauft! Na ja —: Deinen Bräutigam hielten
sie ja fest — der saß. Da bist Du — zu ihnen
hingegangen und, und . . und hast Dir eine Mitgift
verdient, Du . . In sinnloser Wut auf sie los:
Du . . . Er hebt die Hand gegen sie. Sie sieht ihn ruhig
an. Er taumelt plötzlich. Kreischend: Eduard! Er fällt.

Eduard
springt ihm bei und fängt ihn auf.

Sophie
losjammernd:
Ach Jott, ach Jott, ach . . .

Eduard:

Wasser, Alte.

Sophie
läuft nach hinten ab.

Hanna
hat bereits vom Tisch die Karaffe geholt und will sie ihrem
Vater reichen:
Hier!

Eduard

stößt sie roh zurück:

Weg! Weg, Du ... Er schlägt ihr die Karaffe aus der Hand, daß die auf der Erde zerschellt.

Sophie

kommt mit dem Waschbecken und einem Handtuch. Weinerlich:

Ne, ne .. was er aber auch heute schon alles hat durchmachen müssen .. ne, ne .. Sieht die Scherben: Ach Gott, was is denn das nu wieder. Sucht die Scherben zusammen.

Eduard

legt Conrad ein nasses Handtuch auf die Stirn. Zwischen den Zähnen:

Armer Kerl! So'n Luder ...

Hanna

hat sich zum Fortgehen angezogen, die Reisetasche genommen. Leise, fast demütig:

Mutter, adieu ...

Sophie

zittert, aber wendet sich nicht um.

Hanna:

Mutter ...

Eduard

Raus mit Dir!

Sophie

wendet sich unwillkürlich nach Hanna um. Als diese sich aber nähern will, streckt sie beide Hände wie abwehrend gegen sie aus.

Hanna

in großem Schmerz:

Mutter!

Eduard:

Er kommt zu sich! — Hinaus, sag ich!

Hanna

tonlos, wie gedankenlos:

Hinaus. Sie zuckt heftig zusammen und geht schnell rechts ab.

Sophie

bricht, sobald Hanna die Thür zuschlägt, in ein bitterliches Weinen aus.

Conrad

zu sich kommend:

Hm, hm . . . Wer . . weint da?

Sophie:

Ich . . .

Conrad:

Wo . . wo ist . . Hanna?

Eduard

ihn aufrichtend:

Fort. — Komm! Wir wollen nicht mehr an sie denken.

Conrad

matt:

Doch — doch. Ich . . habe noch mit ihr . . abzurechnen. Und mit ihm — auch!

Vorhang.

Zweiter Act.

Scene: Hannas Comptoir.

Durch große Glasschiebethüren sieht man in den hinter dem Comptoir liegenden, sehr tiefen Entresolraum, das Arbeits= zimmer; und durch die bis zum Boden hinabreichenden Entresolfenster des Hintergrundes hinaus auf die gegenüber= liegenden Häuser der Straße. — Das Comptoir ist ohne Eleganz, aber streng gediegen eingerichtet. Rechts in der Ecke Schreibtisch und Geldschrank, links ein ledernes Ecksofa mit Tisch. — Vorn ist es schon dunkel; rechts über dem Schreibtisch brennt eine Gasflamme. Auch im Arbeitszimmer brennen schon einige Flammen, während es hinten an den Fenstern noch hell ist.

Bernhard
fertig zum Fortgehen, steht in der Mitte der Bühne.
Verlegen:

Ja ...

Hanna:

Verstehen Sie mich nicht falsch, Herr von Vernier. Ich möchte Sie nicht zu einem Fanatiker der Arbeit machen. Sie giebt's genug. Mehr als genug. Nur ...

Bernhard:

Bitte, Fräulein Jagert! Sprechen Sie's nur aus! Ich bin Ihnen ein bissel zu faul — wie?

Hanna:

Ja, wirklich.

Bernhard:

Ja, ja ... aber ... im Grunde, was schadet es.

Hanna:

Ach doch. Es ist doch nicht gut, wenn wir zu viel Zeit haben, uns mit uns selber zu beschäftigen.

Bernhard:

Hm.

Hanna:

Ich bin wenigstens manchmal recht froh, daß ich mir auf eine so einfache Art ... entgehen kann. Ich meine: den dummen Gedanken.

Bernhard:

Ach, Fräulein Jagert, finden Sie nicht, daß die dummen Gedanken immer die schönsten sind?

Hanna:

Ich weiß nicht, was Sie darunter verstehen!

Bernhard:

Dasselbe wie Sie. Aber Sie haben recht. Ich fühle, daß ich ... aus Not ... sehr unbescheiden bin.

Hanna:

Wieso?

Bernhard:

Nun ja. Statt mir durch Arbeit selber Inhalt zu geben, bereichere ich mich, als echter Dilettant ... mühelos ... auf Ihre Kosten.

Hanna:

Das hab ich nicht sagen wollen.

Bernhard:

Doch. Verzeihen Sie gerade das. — Sehen
Sie, Fräulen Jagert, Sie waren für mich … so in
jeder Beziehung etwas ganz Neues. Unsere Damen
hielten mich bereits für ein mauvais sujet … mit
Recht, denn ich ödete mich bei ihnen schrecklich. Da
lernte ich Sie kennen — durch die Güte meines
Freundes Könitz. Sie haben mir eine — pardon! —
eine neue Perspektive gegeben … fröhliche Möglich=
keiten, an die ich nie gedacht hatte … zu all dem
andern … ein neues Ideal.

Hanna:

O! Zu all dem andern?

Bernhard:

Nun ja, ich meine, zu der Freude, überhaupt
mit Ihnen plaudern zu dürfen … Schweigen: Hm,
und das hab ich mal wieder mehr als genug gethan.
Tritt ihr näher und reicht ihr die Hand, sie erhebt sich:
Fräulein Jagert, entschuldigen Sie bitte die Störung,
empfehlen Sie mich dem Doktor und … also morgen
Abend, nicht wahr?

Hanna:

Ich werd es ihm sagen. Auf Wiedersehen,
Herr von Vernier.

Bernhard:

Auf Wiedersehen! Ab.

Hanna

sitzt vorn rechts am Schreibtisch und arbeitet. — Sie ist
womöglich noch einfacher schwarz gekleidet als im ersten Act.
An den beiden langen, parallel von den Glasthüren zu den
Fenstern laufenden Arbeitstischen sind einige zwanzig Ar-
beiterinnen verschiedenartig beschäftigt. Die Glasthüren sind
geschlossen.

Freudenberg

tritt hinten links in den Arbeitsraum. Bewegung unter den
Mädchen. Er verbeugt sich wiederholt mit parodistischer
Höflichkeit und spricht dann mit dem einen Mädchen. Die
weist ihn an die Zuschneiderin. Er wendet sich an diese.

Die Zuschneiderin

legt die Arbeit nieder und kommt nach vorn durch die Glasthür. Sobald die Glasthür — auch im Folgenden —
geöffnet wird, hört man gedämpfte Stimmen und den Lärm
einiger Nähmaschinen.

Hanna
in ihre Arbeit vertieft, ohne aufzusehen:
Hm?

Die Zuschneiderin
verlegen nähertretend:
Ach — Fräulein...

Hanna
aufsehend, ruhig:
Nun?

Die Zuschneiderin:
Ach, da ist der Herr von unten... von der
Weinstube... der Hauswirt... ich vergesse immer
den Namen...

Hanna:

Freudenberg heißt er. Freudenberg. Lassen Sie ihn eintreten.

Die Zuschneiderin
ab.

Freudenberg
mit Verbeugungen durch die Mitte:

Entschuldigen Sie, Fräulein Jagert... guten Abend, guten Abend! Entschuldigen Sie gütigst: ich habe mir gedacht: Sie hätten schon Feierabend gemacht. Nein, was sind Sie für 'ne fleißige Frau .. verzeihen Sie: Fräulein, mein ich, Fräulein wollt ich sagen ... entschuldigen Sie: Sie verstehen mich.

Hanna:
Nun? — Sie bringen mir wohl den Kontrakt?

Freudenberg:

Bring ich, jawohl, jawohl. Wollen Sie so gütig sein? Reicht ihr einen Mietskontrakt.

Hanna
nimmt ihn:
Setzen Sie sich, bitte.

Freudenberg:
Danke sehr. Danke gehorsamst. Setzt sich.

Hanna
liest den Kontrakt durch:

Hm .. Nun ja ... „Mieter verpflichtet sich" ... Gründlich! Das kann man nicht anders sagen.

Und dreizehn Paragraphen Hausordnung. Sind Sie ein — strenger Hausvater!

Freudenberg:

Bitte sehr, bitte sehr —: die Dinger sind mal so gedruckt. Fix und fertig.

Hanna:

Ja, ja. Daran liegt es. Also —: achthundert Mark. Viel Geld für die beiden Zimmer ...

Freudenberg:

Sagen Sie das nicht. Drei Zimmer sind es und eine Küche ist dabei und ein Hängeboden und .. was man alles braucht. Sagen Sie das nicht.

Hanna:

Und drei Treppen. Aber das müssen Sie mir ganz fest versprechen, Herr Freudenberg: wenn die zweite Etage jemals frei wird ...

Freudenberg:

Kein anderer wie Sie, Fräulein Jagert. Bei Gott: Sie sollen den Vorzug haben. Das sollen Sie!

Hanna:

Denn sehen Sie: ich ziehe ja hier nur aus, weil ich diesen Raum noch für's Geschäft brauche und mich doch nicht auf die eine Dunkelkammer da beschränken kann. Aber ich will natürlich auch nicht zu weit vom Geschäft sein ... oder zu hoch darüber.

Freudenberg:

Ja, ja, Fräulein Jagert: ich seh das ja vollständig ein. Ich werde sehn, ich werde sehn ... Sie haben mein Wort!

Hanna
unterschreibt.

Freudenberg:
Fräulein Jagert?

Hanna:
Herr Freudenberg?

Freudenberg:
Darf ich Ihnen 'n neuen Witz erzählen?

Hanna:
Nein! Hier nicht! Um Gotteswillen! Geben Sie das Nebenexemplar. Was denken Sie sich denn.

Freudenberg
giebt es ihr:
Fräulein Jagert, so wahr ich hier stehe: Sie werden's bereuen. Es wird ein Anderer kommen: er wird ihn erzählen, und er wird ihn schlecht erzählen. Bei mir haben Sie 'ne Garantie. Fragen Sie den Herrn Doktor Könitz: der kennt mich. Er schätzt mich. Er wird Ihnen sagen ...

Hanna:
Hier! Reicht ihm das Nebenexemplar: Jawohl, Könitz giebt und schätzt Sie, aber ...

Freudenberg:
Der Herr Baron von Vernier nicht minder. Also bitte, erlauben Sie mir ...

Hanna:
Nein! Wenn wir mal wieder unten bei Ihnen sitzen. Übrigens, fällt mir ein: von dem Léoville können Sie mir mal zehn Flaschen heraufschicken.

Freudenberg:

Ich fall um! Is nicht möglich! Der Leicht=
sinn!

Hanna:

Nu, wenn Sie nicht wollen . . .

Freudenberg:

Na nu ne: ich werde nich wollen! Aber Sie
müssen verzeihn: es ist eine große Sache! Sie be=
stellen Wein bei mir, und was für'n Wein! Wenn
ich offen sein soll: man sollte glauben, es wäre kurz
vor Ihrem Ende. Verzeihen Sie!

Hanna:

So . . . also für so geizig haben Sie mich ge=
halten?

Freudenberg:

Geizig, was heißt geizig! Ist ein häßliches Wort
für 'ne schöne Sache! Aber „genau", Fräulein
Jagert —: genau! Sie werden nicht leugnen, wenn
ich sage, Sie sind genau. Nun: was nichts Genaues
ist, das ist auch nichts Reelles. Sie bekommen noch
heute den Wein. Kann ich vielleicht sonst noch was
mitschicken?

Hanna:

Nein, zehn Flaschen Léoville — „genau".

Freudenberg:

Fräulein Jagert: machen Sie mich nicht un=
glücklich für's ganze Leben: nehmen Sie mir nicht
übel, was ich gesagt habe. Genau, hab ich gesagt.
Nnn? Das ist ein großes Lob. So hat mein

Vater zu meiner Mutter gesagt und wir Kinder
durften dabei stehn.

Hanna:

Gewiß. Das hat Ihrer Erziehung auch sicher
nichts geschadet.

Eine Arbeiterin

lang, blaß, dürr und dämlich, kommt ängstlich durch die Mitte.
In weinerlichem Tone:

Ach, Fräulein . . .

Hanna:

Was ist Ihnen denn?

Die Arbeiterin:

Ach, ach . . . ich hab in dem kleinen Plüsch=
paletot die Knopflöcher . . . schluchzend: in die Knopf=
seite geschnitten. Und der Stoff ist doch so teuer . . .

Hanna

geschäftsmäßig, kühl, etwas ärgerlich:

Ja . . . Sie wissen ja, das . . . geht mich
nichts an.

Die Arbeiterin

flehentlich:

Ach, Fräulen: ziehn Se's doch nur diesen
Sonnabend nich ab. Wir brauchen's so furchtbar
nötig.

Hanna:

sieht sie an, lächelt flüchtig — dann ruhig:

Lassen Sie sich von der Zuschneiderin ein
neues Knopfteil schneiden. Das verschnittene soll
sie zu Ärmeln verbrauchen. Aber sehen Sie sich
in Zukunft vor.

Die Arbeiterin

außer sich vor Dankbarkeit, aufatmend:

Ach, Fräulein, — ich danke Ihnen! Ab.

Hanna:

Sehn Sie: den „Leichtsinn" begeh ich heute auch zum ersten Mal.

Freudenberg

treuherzig:

Fräulein Jagert: haben Sie mir was übel genommen?

Hanna:

Ich nehme Ihnen gar nichts übel. Sie haben ja ganz recht. Diese ganzen zwei Jahre hab ich ja thatsächlich an nichts Anderes gedacht, als an den Profit und an's Sparen. Sie haben sich nur geirrt, wenn Sie geglaubt haben ... es wäre das meine — eigentliche Natur. Lächelnd: O nein! Von heut an wird das anders! — Was machen Sie denn für 'n Gesicht?

Freudenberg:

Verzeihn Sie mir 's Gesicht. Aber was meinen Sie, wenn Sie sagen: von heut an?

Hanna:

Geschäftsgeheimnis.

Freudenberg:

Nu — dann weiß ich.

Hanna:

Sie wissen?

Freudenberg:

. Spaß!

Hanna:

Na?

Freudenberg:

Nu — Sie werden heiraten! Den Doktor
oder den Herrn Baron. Ausgerechnet: einen von
beiden.

Hanna:

verletzt:

So. — Ja, es scheint ... Sie ... Sie erraten
eben Alles mit Ihrem — natürlichen Zartgefühl.

Freudenberg:

Nu sind Sie mir wieder böse?

Hanna:

Nein. Das hätte keinen Reiz für mich. Aber
... ich muß Ihnen doch sagen: Sie irren sich dies=
mal. Es denkt niemand ans Heiraten. — Und
nun entschuldigen Sie mich: ich habe noch zu thun.

Freudenberg:

Nun — sehn Sie: Sie sind doch böse. Und
Sie haben recht. Was red ich von Heiraten!
Sind wir nicht vorgeschrittene Menschen? Was
braucht man zu heiraten? Auf eine unwillige Bewegung
Hannas: Ich geh Hanna sieht ihn ungeduldig, streng an:
schon, ich geh schon. Aber ich hab noch 'ne Mission.
Gott, Fräulein Jagert: wenn Sie einen so ansehn,
da fällt einem 's Herz immer gleich in die Schuh=
sohlen, aber — wahrhaftjen Gott: man bleibt so
gern in Ihrer Näh.

Otto Erich Hartleben, Hanna Jagert.

Hanna:

Laſſen Sie ſich das Vergnügen nicht zu lang
werden. Also: was iſt das für 'ne — „Miſſion“?

Freudenberg
reibt ſich die Hände:

Eine innere.

Hanna:

Herr Freudenberg!

Freudenberg:

Werden Sie nicht ungeduldig! Ich werd es
kurz machen. Sehr geläufig: Also: Heute Nachmittag
zwiſchen drei und vier kommt ein Herr, ein kleiner, alter
Herr in die Weinſtube. Man kann nicht wiſſen, ob
er über hundert Jahre alt iſt, aber ich gebe Ihnen
mein Wort: achtzig iſt er geweſen. Wie er mit dem
Diner fertig iſt, beſtellt er ſich eine Pommery,
ſchiebt ſich ſeine goldene Brille auf die Stirn und
beginnt ſo vor ſich hinzumurmeln, ſo ... wiſſen Sie,
ſo halblaut. Macht es nach.

Hanna:

Ja —

Freudenberg:

Warten Sie nur. Also: ſo ſaß er nun da.
Nach und nach gingen alle anderen Gäſte weg. Er
blieb ſitzen — trank weiter. Wie er die erſte Flaſche
leer hatte, beſtellt er ſich 'ne neue, verſtehn Sie,
die zweite Pommery. Er ruft mich ran, ſchenkt
mir ein Glas ein und fragt mich nach dem Wetter.
Darauf hab ich ihm nach meiner ehrlichen Ueber-
zeugung die volle Wahrheit geſagt. Aber auf einmal

fragt er mich: sagen Sie mal —: was ist das eigent=
lich für 'ne „Person", die hier über Ihnen „den
Kleiderhandel betreibt?" Wissen Sie, das sagt er
so recht ... so recht ... nu: als ob man nicht mit
Kleider haudeln dürfte.

Hanna:
Na, was wollt er denn?

Freudenberg:
Ausforschen wollt er mich! Ausforschen! Na,
da kam er an den rechten. Wie 'n Erbbegräbnis
— stumm! Mein Herr, sagte ich, wenn Sie irgend
etwas zu wünschen wissen, oder zu wissen wünschen
über ... das von mir auf das Höchste verehrte Fräu=
lein Jagert — bitte sehr: bemühen Sie sich gütigst
eine Treppe höher und fragen Sie sie gefälligst
selber. Von mir erfahren Sie nichts. — Und
wenn ganz Berlin über sie klatscht — mein Mund
bleibt rein. Sie ist mein Gast — und zahlt mir
die Miete von zwei Etagen!

Hanna:
Na, war er damit zufrieden?

Freudenberg:
J Gott bewahre! —: „Nun, schön: ich werde
hinaufsteigen!" Wie 'ne Drohung, wissen Sie, so:
„Ich werde hinaufsteigen!" Zu drollig, sag ich
Ihnen. Dabei trank er immer weiter. Er kam
mir vor wie einer, der sich mildernde Umstände
antrinkt. — Nu hatt ich Ihnen doch versprochen ...
von wegen dem Kontrakt. Ich sag also: mein Herr,
sag ich, darf ich Sie bei Fräulein Jagert anmelden?
Ich gehe jetzt hinauf. „Ja, das können Sie thun!"

5*

— Nun wollt ich doch gern den Namen wissen — aber ne! —: „Sagen Sie nur, ein alter Mann — muß mit ihr sprechen." Na, also, Fräulein Jagert: „Ein alter Mann muß mit Ihnen sprechen!"

Hanna:

Achtzig, sagen Sie?

Freudenberg:

Mindestens! Klein, rote Nase, goldene Brille. Besondere Kennzeichen: trinkt Pommery und trägt Brillanten — so groß!

Hanna:

Aber wer kann denn das sein? Sie haben mich nun glücklich ganz neugierig gemacht. Und nun lassen Sie den alten Herrn da unten warten? Ich lasse bitten!

Freudenberg:

Ja, wissen Sie, Fräulein Jagert! Wenn ich sage: ich bin gern in Ihrer Nähe — so sag ich die reine Wahrheit. Aber zugleich, wenn ich bei Ihnen ein bischen länger geblieben bin — hab ich mir gedacht: wird sich der alte Herr da unten — noch die dritte Flasche Pommery bestellen!

Hanna:

Na nu aber...

Freudenberg:

Ich geh schon. Ich schick ihn herauf. Adieu, leben Sie wohl. Leben Sie wohl. Verzeihen Sie mir! Durch die Mitte ab. Man hört die Mädchen verstohlen lachen.

— 68 —

Hanna:
schüttelt lächelnd den Kopf, schraubt die Gasflamme etwas in die Höhe und beugt sich wieder über ihre Arbeit.

Die Zuschneiderin
tritt schüchtern ein:

Hm ... Ach ... Fräulein ... ach bitte, ent=schuldigen Sie einen Augenblick ...

Hanna:
wendet sich zu ihr.

Die Zuschneiderin:

Ich ... ich ... von dem Stück Double krieg ich, nach dem neuen Modell, „Doppelstern“ absolut nicht heraus! Wenigstens nicht die Siebzehn, wie Fräulein sagten.

Hanna:

Na nu. Ich bitte Sie ... wie viel Meter hat denn dies Stück?

Die Zuschneiderin:
Vierzig.

Hanna:

Na — aber das begreif ich nicht. Und doch dieselbe Breite, wie die andern. Daß muß ja gehn.

Die Zuschneiderin
achselzuckend:
Tja! Ich habe alles ausprobiert.

Hanna:
Bringen Sie's mir rein.

Die Zuschneiderin
ab.

Hanna
wieder über der Arbeit.

Die Zuschneiderin
kommt mit dem Stück und den Mustern zurück und bleibt
zweifelnd stehen.

Hanna
ohne aufzusehen:

Da drüben.   Gleich.

Die Zuschneiderin
legt das Zeug links auf den Tisch vor dem Ecksofa.

Hanna
geht nach links, legt die Muster auf, probiert einige Male
— dann ruhig:

So.

Die Zuschneiderin
höchst verlegen, kleinlaut:

Ach ja. So — geht es. Entschuldigen Sie
nur die Störung ...

Hanna
geht wieder nach rechts. — Währenddem ist hinten im Ar=
beitsraum der alte Freiherr von Vernier von links eingetreten.
Alle Mädchen staunen ihn an. Unbeholfen kommt er nach
vorn. Von einem der Mädchen wird ihm die Glasthür ge=
öffnet, sodaß er der mit dem Stück Stoff abgehenden Zu=
schneiderin begegnet.

Die Zuschneiderin
stößt einen leisen Schrei aus:

Ach ...

Der alte Vernier
ein kleiner, achtzigjähriger Greis mit vollem, schneeweißen

Haar. Sein weingerötetes Gesicht verrät große geistige Be=
weglichkeit. Er trägt eine goldene Brille mit großen runden
Gläsern. Er verbeugt sich vor der Zuschneiderin:

Da hätt ich also wohl den Vorzug mit dem
Fräulein Hanna Jagert ...

Die Zuschneiderin
sehr verlegen:

Nein — da ... Ab.

Hanna
steht rechts:

Ich heiße Jagert.

Der alte Vernier:

So, so. Das ist sie. Hm. Tritt der verwun=
derten Hanna näher: So, so. — Nun, da ... muß
ich mich Ihnen vorstellen. — Ich heiße Vernier.
Ja. Ich bin der Großonkel des Freiherrn Friedrich
Bernhard von Vernier. Der dürfte Ihnen ja wohl
bekannt sein.

Hanna
freudig überrascht:

Ach! — Ja, o ja; der ist mir recht gut be=
kannt ... recht gut.

Der alte Vernier
nickt:

„Recht gut".

Hanna:

Es ist ja ein Freund des Doktor Könitz. Aber
das freut mich sehr, Sie kennen zu lernen, Herr
Baron! Er ... hat mir schon soviel von Ihnen
erzählt. Nach links hinübergehend: Darf ich Sie bitten,
Platz zu nehmen.

Der alte Vernier
in drollig unwirschem Ton:

Danke ... danke sehr. Wenn Sie gestatten
... möchte ich noch wachsen.

Hanna:
Aber! Hier im Entresol? Bitte.

Der alte Vernier:
Bitte sehr! Bitte sehr! Bleiben wir ernst.

Hanna
befremdet:
Ja ... wie ...

Der alte Vernier:
Bleiben wir ernst, mein Fräulein! Ist es
mir erlaubt, einige Fragen an Sie zu richten?

Hanna:
Bitte.

Der alte Vernier:
Ihr Herr Vater war ja wohl Maurer?

Hanna
erstaunt:
Ja — er ist auch jetzt noch — Mauerpolier.

Der alte Vernier:
Mauerpolier — so, so. Und Ihr Herr Groß=
vater, wenn ich fragen darf? Was war der?

Hanna:
Das weiß ich nicht.

Der alte Vernier:

Sehen Sie! Das wissen Sie nicht. Das wissen Sie nicht! Ich hab es mir gedacht. — Hm. Nun — Fräulein Jagert: Sie sind ja wohl sehr — modern, nicht wahr?

Hanna
nachdenklich:
Modern?

Der alte Vernier:

Modern — jawohl.. Und ich zweifle nicht daran, daß Sie mit großer Geringschätzung auf einen Mann herabzusehen gelernt haben, der den Stand, dem er die Ehre hat, anzugehören, hoch= zuhalten gesonnen ist. Trotzdem halte ich mich in diesem Augenblicke zu dieser Hochhaltung in dem Grade für berechtigt, als ich mir bewußt bin, meiner= seits diesen Stand nie durch Anmaßung oder Über= hebung entehrt zu haben. — Wissen Sie, wie alt das Geschlecht der Verniers ist? —

Hanna
überrascht, lächelnd:
Nein, Herr Barou. Aber ... nach Ihnen zu urteilen ... Hält inne.

Der alte Vernier:
Wie?

Hanna:
Nun, ich meine: ich glaube wohl, daß es schon ziemlich alt ist. Aber bitte, es interessiert mich sehr, Genaueres darüber zu erfahren. Einen Augenblick! Sie zieht eine dunkle Portière vor die Glasthür: So. Bitte.

Der alte Vernier:

Die Traditionen unserer Familie erstrecken sich zurück bis auf das Jahr Neunhundert und achtzig.

Hanna:

Nach Christi Geburt.

Der alte Vernier:

Ja. — Aber sagen Sie —: ich kann mir kaum denken, daß Sie das wirklich interessiert ...

Hanna:

Doch, o doch ... bitte, Herr Baron! Ihr ... Herr Großneffe spricht darüber garnicht. Sie wissen ja, er hat immer seine künstlerischen Interessen. Wir haben ihn grade danach schon oft vergebens gefragt.

Der alte Vernier:

Hm. So. Nun ... unsere Familie stammt aus Poitou, dem alten französischen Herzogtum am atlantischen Ocean. Die erste verbürgte Über= lieferung datiert von dem Jahre Zwölfhundert und achtzig. Von diesem Jahre Zwölfhundert und achtzig an spielen die Verniers als Marquis, nach dem Rechte der Erstgeburt in ununterbrochener Stamm= reihe, in der Geschichte Frankreichs ihre ehrenvolle Rolle. „Marchiones" heißen sie in den älteren Urkunden.

Hanna
freundlich:

So? Aber Herr Baron, wollen Sie sich nicht doch lieber setzen? Die Geschichte Ihrer Familie reicht so weit zurück — bitte!

Der alte Vernier:

Ja, es ist wohl besser. Danke. Setzt sich links in die Sofaecke: Hm. Also — im Jahre Sechszehn=hundert fünfundachtzig ist dann Erneste Olivier de Vernier ins Fürstentum Lüneburg eingewandert. Die ältere Hauptlinie in Frankreich ist vor kurzem erloschen — sodaß nunmehr ich und mein Großneffe Friedrich Bernhard die letzten und einzigen Träger des Namens Vernier sind. Verstehen Sie?

Hanna:

Ich ... glaube.

Der alte Vernier:

Aber: verstehen Sie auch: was das heißt? Was für eine Verantwortung ... Entschuldigen Sie, Fräulein Jagert, aber ich denke mir: Sie können das garnicht verstehen. Ich ... muß es Ihnen er=klären. Hm. Also — seit wir im Hannoverschen ansässig geworden sind — Sie ... wissen wohl, daß wir Westernach in Familienbesitz haben — seit=dem haben fast durchgängig von Generation zu Generation zwei Brüder das Geschlecht — wie soll ich sagen — vertreten. „Die beiden Verniers" — wie wir seit einem Jahrhundert und länger am Hofe der Welfen genannt wurden. Von den beiden war gewöhnlich der eine der praktische Stammhalter, der sich verheiratete und das Gut übernahm. Der andere pflegte darauf zu verzichten ... sei es aus brüderlicher Gesinnung ... sei es aus innerem Beruf ... so wie ich.

Hanna:

Sie haben ... aus innerem Beruf ...

Der alte Vernier:

Allerdings. Ja. Es hat unter den Verniers
immer solche gegeben, die in irgend einer gelehrten
oder künstlerischen Liebhaberei ihre Befriedigung
fanden und darin aufgingen. — Auch bin ich
übrigens den Frauenzimmern niemals possierlich
genug gewesen. — Hm. Also — in unserem Falle
war es eben mein Bruder Ernst, der ... zwei ganz
prächtige Jungen hatte. Soweit ging alles, wie es
sollte. Da kam ... der siebenundzwanzigste Juni
Achtzehnhundert sechsundsechzig. An diesem Tage
schossen die Preußen die beiden jungen Verniers
tot. — — Wir beiden Alten blieben zurück. —
Außer uns eine todkranke Witwe und ein kleiner
dreijähriger Junge. Das war der Bernhard. Na
und den mit komischem Ingrimm: ... nun ja: den
kennen Sie ja wohl, Fräulein Jagert — wie?
Sagten Sie nicht: Sie kennten ihn — „recht gut?"

Hanna
befremdet, kühl:

Ja, Herr Baron. Und zwar sagte ich Ihnen
schon, daß er der Freund meines Freundes, des
Doktor Könitz wäre. Wir sind oft zusammen —
mit ihm.

Der alte Vernier:

So, so. Na. — Jedenfalls: Sie werden ja
nun wohl verstehn .. was ich vorhin .. andeutete.
Wie? Mein Großneffe Friedrich Bernhard ist der
letzte ... An ihm ist es, seine Familie fortzu ...
pflanzen. Verstehn Sie mich, Fräulein Jagert? —

Hanna
verlegen:

Ja ... das wird er ja wohl auch noch thun.

Der alte Vernier:

Wie? Ja, es liegt mir daran, Fräulein Jagert, mich Ihnen ganz verständlich zu machen. Bloß darum bin ich so ausführlich. Sehen Sie: mein Bruder Ernst starb den Winter Sechsundsechzig. Konnt's ihm nicht verdenken. — Über die Söhne haben wir nicht wieder zusammen gesprochen. Wohl aber über den kleinen Enkel ... den Bernhard.

Schweigt

Hanna
warm, leise:

Herr Baron, er — hat Sie ja auch sehr lieb.

Der alte Vernier:

So, so. Hm. — Sie sind sehr gütig, Fräulein Jagert, sehr gütig. Aber bitte, wollen wir nicht mehr von mir reden. Wir sind jetzt zwei bis drei Generationen weiter, eben ... beim Bernhard. — Sehen Sie, einen Beruf gab es nicht für ihn ... ich hätte auswandern müssen. Und außerdem: er selber ... 's ist ein sensitiver Junge, bei dem der Hang, im äußerlichen Leben was zu bedeuten oder was zu wirken, kaum vorhanden ist.

Hanna:

Und darauf nahmen Sie Rücksicht?

Der alte Vernier:

Ja. Das wundert Sie wohl?

Hanna:

O, von Ihnen nicht, Herr Baron, aber ich deuke mir, daß so etwas immerhin selten ist ... in adligen Familien.

Der alte Vernier:

Was wir Adel nennen, mein Fräulein, unterscheidet sich vielleicht nicht unwesentlich von dem, was ... Sie sich darunter vorstellen. Denn, Fräulein Jagert —: der Mensch ... fängt allerdings erst mit dem Baron an. Aber: der Baron wird nicht als Mensch geboren — er muß dazu thun.

Hanna
unwillkürlich:

O! Das ist schön!

Der alte Vernier:

Was ... was ist schön?

Hanna:

Was Sie da sagen. Lächelnd: Ach, Herr Baron, bitte, halten Sie mich nur nicht für einen Demokraten.

Der alte Vernier:

Nicht für ... ja, aber, Fräulein Jagert! Ist denn die Demokratie nicht — modern?

Hanna:

Modern? Ach pfui!

Der alte Vernier
eifrig:

„Ach pfui" — bravo! Modern — ist der Pöbel! — Aber, Fräulein, Fräulein Jagert: wie, wie kommen Sie mir denn eigentlich vor?

Hanna
lächelnd:

Ja — ich weiß nicht. Es scheint mir nur: Sie sind nicht gerade zu mir gekommen, um eine

— Übereinstimmung unserer Ansichten zu ...
zu konstatieren — wie? Während der letzten Worte hört
man aus dem Arbeitsraum lauteres Sprechen und Lachen.
Hanna, plötzlich sich erinnernd: Ach! Es ist ja wahr!
Zieht ihre Uhr: Entschuldigen Sie, Herr Baron: es
ist Sieben durch: meine Damen wollen gehen. Sie
werden schon ungeduldig. Zur Glasthür gehend: Einen
Augenblick. Sie öffnet die Thür. Hinaussprechend: Meine
Damen — Feierabend. Fräulein Schwarz, Sie
lassen wohl die fertigen Sachen nach dem Lager-
raum schaffen. Ich werde Ihnen Friedrich vorschicken.
Sie geht nach links und klingelt.

Die Zuschneiderin
durch die Mitte, nur halb eintretend:

Ach, Fräulein, die, die Maschinennäherin, die
Sie heute morgen engagiert haben ... kommt die
schon morgen?

Hanna:

Ja.

Die Zuschneiderin
im Abgehen:

Wegen dem Zuschneiden. Ab. Draußen etwas
Lärm, Thürschlagen.

Der Hausdiener
von links.

Hanna:

Friedrich, lassen Sie sich die Sachen von Fräulein Schwarz geben. Die müssen heute noch ver-
packt werden. Dieselbe Adresse. London.

Der Hausdiener
nach hinten ab.

— 79 —

Hanna
in Gedanken:
Was ... n ... Ach ja! Nach hinten, ruft hinaus:
Fräulein Schwarz, noch eins: sagen Sie doch bitte
Ihrem Vater, daß er morgen Nachmittag mal heran
kommt. Ich will doch zum Ersten die Möbel fertig
haben. Vergessen Sie's nicht — nein?

Die Zuschneiderin
von außen:
Können sich drauf verlassen, Fräulein.

Hanna:
Also, Adieu, meine Damen!

Viele Stimmen:
Adieu, Fräulein, adieu ...

Hanna
entfernt sich von der Thür.

Die Arbeiterin
welche die Knopflöcher in die Knopfseite geschnitten hatte,
steckt den Kopf durch die Thür: Fräulein, ich danke
Ihnen auch noch vielmals! Verschwindet wieder, ehe
Hanna sich zu ihr umgedreht hat.

Hanna:
Bitte sehr.

Der Hausdiener
kommt wieder durch die Mitte mit einem großen Arm voll
Kindergarderobe und geht links ab.

Hanna:
Also heute noch!

Der Hausdiener
im Abgehen:

Jawoll!

Das letztere ist alles sehr schnell gesprochen. Der alte Vernier ist allen Bewegungen Hannas mit Spannung gefolgt. Schüttelt mit dem Kopf.

Hanna:

Verzeihen Sie, Herr von Vernier, jetzt steh ich wieder zur Verfügung.

Der alte Vernier:

Schrecklich! Schrecklich! Schrecklich! Und Sie wollen nicht — modern sein? Diese ... diese Hast, dieses: hä=hä=hä ... Ahmt die schnellen, haftigen Bewegungen nach: Überhaupt dies Berlin! Diese plebejische Outrance, mit der hier gearbeitet wird. Man sollte meinen, sie bildeten sich noch was drauf ein, daß sie sich für andre zu schanden quälen müssen! Schrecklich! — Wie der Junge das aushält! Das so immer mit anzusehen! Hanna anschauend: Ich meine den Bernhard.

Hanna:

Ja. Das dacht ich mir.

Der alte Vernier:

So, so. — Nnn? Sie wundern sich aber wohl nicht, daß er's bei Ihnen ... hier in Berlin ... aushält — wie?

Hanna:

Nein. Das kann ich nicht sagen. Er hat hier so viel ...

Der alte Vernier:

So, so. Das können Sie nicht sagen. Das können Sie nicht sagen! Sehr gut! Sehr gut! Sehr gut!

Hanna
ernsthaft:

Herr Baron, ich ... muß Sie nun doch ... höflichst bitten ... mir den Zweck Ihres Besuches ... was Sie eigentlich von mir wünschen — zu verraten. Ich habe keine Neigung, mir ... weiter Dinge anzuhören, die ich ... mir beliebig als ... als Beleidigungen deuten kann.

Der alte Vernier
sich erhebend, ebenfalls sehr ernsthaft:

Fräulein Jagert! Der Junge soll sich nicht verplempern! Verstehen Sie? Das will ich. Das will ich.

Hanna
in Wut; aber sich beherrschend:

So! Und — da kommen Sie zu mir. Zu mir! Was wollen Sie bei mir?!

Der alte Vernier:

Ich weiß nur zu gut, von ihm selber, wie — es um ihn steht. Seit er an mich seinen ersten kindischen Brief geschrieben hat ... hat er mir immer alles vertraut, was ihn bewegte. Er —

Hanna
ihn unterbrechend, mit schneidendem Hohn:

Ah! Jetzt versteh ich Sie! Endlich! Nicht wahr: Sie sind zu mir gekommen, um mir — die Liebe Ihres Großneffen zu gestehen! Wie?

Der alte Vernier
verletzt:

Fräulein Jagert ...

Hanna
leidenschaftlich: ihm wieder das Wort abschneidend:

Gewiß! Gewiß! Natürlich! Etwas Anderes kann es ja gar nicht sein. Denn bis auf den heutigen Tag ist zwischen Ihrem Großneffen und mir kein Wort gefallen, kein Wort, ... mit dem er sich hätte „verplempern" können! Bis auf den heutigen Tag haben wir uns nicht ein einziges Mal unter vier Augen gesprochen, sind wir immer nur in Gegenwart Alexanders zusammen gewesen, des Doktor Köniß, meines Freundes, dem ich viel zu verpflichtet bin, als daß ... und wenn Ihnen Ihr Großneffe etwas Anderes geschrieben hat, was ich mir aber garnicht denken kann — so hat er einfach gelogen, einfach gelogen!

Pause.

Der alte Vernier:

Mein Fräulein: Ihre Vorliebe für die starken Worte ist vielleicht ebenfalls sehr modern und daher mag es kommen, daß sie mir nicht gefällt.

Hanna:

Herr Baron: Sie sprachen von „Verplempern". Und das ist doch wohl auch so ein Wort.

Der alte Vernier:

Ja. Aber — das ist auch so 'ne Sache! — Na: aber gut. Jedenfalls kann ich Ihnen versichern, daß mein Großneffe in einem Briefe an mich, weder

6*

— 83 —

einfach noch doppelt lügt. Ä —! Häßlich, Fräulein Jagert! Häßlich, sowas zu sagen. Denken Sie, bedenken Sie: diese Briefe von Bernhard sind für mich, in meiner Einsamkeit — meine Familie, meine Familie. Und ich halte was auf meine Familie.

Hanna:

Herr von Vernier: ich sagte ja, daß ich es mir nicht deulen könnte. — Aber was hat er Ihnen denn ... Sie stockt. Pause.

Der alte Vernier:

Hm? — Ja, das ... das dürfte Sie ja dann wohl kaum noch interessieren. Wenn Sie sich dem Doktor Köniß so verpflichtet fühlen. —

Hanna:

Ja, Herr Barou. Deun abgesehn von allem Anderen: was der Doktor Köniß für mich gethan hat — er ist um meinetwillen von einem tollen Menschen, der glaubte, ein Anrecht an mir zu haben — zum Krüppel geschossen worden!

Der alte Vernier:

Och! ... Hm. — Aber das freut mich, das freut mich wirklich. — Hm. Aber ... Fräulein Jagert — entschuldigen Sie: es ist das ja auch eine gewisse Grobheit — aber: Sie machen nun eigentlich einen ganz guten Eindruck. Sie sind, was man so sagt — eine ordentliche Person.

Hanna
lacht und seufzt dann.

Der alte Vernier:

Lachen Sie nicht, Fräulein Jagert: das ist mein Ernst. Na ... und was Anderes hat vielleicht der Bernhard auch nicht gemeint ... in seinen Briefen an mich.

Hanna:

Wahrscheinlich. Halblaut, bitter: Was denn sonst?

Der alte Vernier

kopfnickend, wie um sich selbst dabei zu beruhigen:

Ja ... ja ... ich denke ... ich denke. Freilich ... nun ja ... aber in seinen Ausdrücken war er immer ... schon als Kind so ... so extravagant. Also ... Er unterbricht sich, geht auf Hanna los und reicht ihr die Hand: Nein, das freut mich aber wirklich, wirklich! Klopft mit der linken Hand auf Hannas Rechte: Von Herzen! Von Herzen! Und wenn ich fragen darf: Ihr Geschäft ... ich meine, dieser ... Kleider=handel, oder was es ist ... es geht doch ganz gut? Wie?

Hanna

zerstreut:

O ja, danke ...

Der alte Vernier:

Hm. Wunderbar! Zu meiner Zeit gab's das garnicht. Sie sind also wirklich ... richtig ... selbständig — wie?

Hanna:

Ja. Ich habe Glück gehabt. Früher, als ich dachte, bin ich in die Lage gekommen, das Geld, das ich natürlich für den Anfang brauchte, zurückzuzahlen. Grad heute — befrei ich mich von dem Rest.

Der alte Vernier
sieht sie groß an:

Hm. Wie gesagt. Wunderbar! Ich kann
offenbar ganz beruhigt sein. Famos.

Hanna
innerlich verletzt, in kaltem, spöttischen Ton:

Allerdings. Sie können ganz beruhigt sein,
Herr von Vernier. Denn . . . obgleich ich nun
durch Ihre Liebenswürdigkeit die ruhmreiche Vor=
geschichte der Familie Vernier kennen gelernt habe
. . . dürfen Sie trotzdem versichert sein, daß mir
nichts — nichts ferner liegt, als der Ehrgeiz, Frei=
frau von Vernier zu werden! Nehmen Sie mir
das nicht übel!

Der alte Vernier
bricht in ein behagliches Lachen aus:

Sehr gut! Sehr gut! Wie Sie das so sagen
— famos! Wenn der Junge das hörte. Müssen
ihm mal sowas sagen . . . haha: — Na jedenfalls:
seine Schwärmerei beruht nicht auf Gegenseitigkeit:
und das genügt mir. Denn das seh ich ja: anders
hat es keine Gefahr — bei Ihnen.

Hanna
bitter:

Offenbar!

Der alte Vernier:

Ach ich kann Ihnen garnicht sagen, wie ver=
gnügt mich das macht! Ja! Kommen Sie, Fräu=
lein, kommen Sie mit mir herunter in die Wein=
stube: wir trinken noch ein Glas zusammen . . . zur

Verſöhnung ... und dann, reiſ ich vergnügt wieder
ab. Kommen Sie, thun Sie mir den Gefallen,
mein liebes ....

Alexander Köniß

wickelt ſich während der letzten Worte ſchwerfällig aus den
Portieren heraus. Er trägt in jedem Arm ein in Papier
geſchlagenes Paket und kann daher nur mit den Ellbogen
die Portieren auseinander ſchieben. Er iſt ein Mann von
ſechsunddreißig Jahren, etwas ſtark und ſchwerfällig, hinkt
leicht mit dem rechten Bein. In Mantel und Schlapphut.
Trocken:
Guten Abend! Hanna und der alte Vernier wenden
ſich plötzlich überraſcht zu ihm um.

Hanna

Ah ... Du. Guten Abend. Hab Dich gar
nicht kommen hören. Vorſtellend: Herr Doktor
Köniß — Herr von Vernier: der Großonkel unſeres
Freundes.

Alexander:

Ah — Bernhards Onkel? Freut mich ſehr,
Herr Baron. Einen Augenblick ... erſt mal ...
Legt die beiden Pakete links auf den Schreibtiſch: So.
Geht auf Vernier los und reicht ihm beide Hände: Das
iſt recht! Das iſt recht, lieber Herr Baron, daß
Sie mal nach Berlin gekommen ſind! Wird ſich der
Bernhard gefreut haben! Und wir thun's auch, was?
Reicht Hanna die linke Hand und ſchüttelt ſie: Bitte!
Fordert Vernier zum Sitzen auf und ſetzt ſich ſelber, dann
auch Hanna.

Der alte Vernier
etwas verdutzt, ſchweigt.

Alexander:

Hm? — Bitte! Nach Feierabend ist das hier
erlaubt. *Bietet ihm sein Etui an. Vernier nimmt eine
Cigarre. Indem er ihm Feuer giebt:* Das ist übrigens
sehr ... sehr liebenswürdig von Ihnen, Herr Baron
... daß Sie sich auch hierher, zu Fräulein Jagert
bemüht haben. Hm. Ich kann mir denken, daß
Bernhard Ihnen — aber wo steckt er denn?
Sieht beide an: Wo steckt er denn? Er läßt Sie
allein? Wo treffen Sie sich denn? Ach, wohl
unten? Ich hörte vorhin, wie ich eintrat, sowas
von heruntergehn — wie? *Pause. Vernier, wie Hanna,
setzen zum Sprechen an, verstummen aber:* Ja, was ist
denn?

Der alte Vernier:

Herr Doktor: ich sitze so, wie Sie wohl wissen,
so ganz allein da auf Westernach ... und da ...
Ja. — Gott, Herr Doktor, man hat ja auf dem
Lande so falsche Vorstellungen ...

Alexander:

Ja — aber, entschuldigen Sie, was hat das
mit Bernhard ...

Der alte Vernier:

lebhaft:

Nein! Nein! Nein! Sagen Sie ihm nichts!
Sagen Sie ihm lieber garnichts! Ich hab mich
blamiert ... nun ja, ich will's zugeben. Aber du
lieber Gott: wenn ich dadurch etwas von Bernhards
Liebe und Vertrauen einbüßen müßte ... das wäre
zu hart! Sehen Sie: die paar Jahre, die ich
noch leben möchte ... Bernhard ... *Er stockt, mit
seiner Rührung kämpfend.*

Alexander
gedämpft zu Hanna:

Also Bernhard weiß garnichts ...?

Hanna
schüttelt den Kopf.

Der alte Vernier:

Nein: er weiß nichts davon. Er weiß nichts
davon ...

Alexander .
faßt sich nachdenkend an die Stirn:

Ja, aber ...

Der alte Vernier:

Ich sehe ja, ich sehe ja: ich ... ich müßte
Sie alle drei ... alle drei um Verzeihung bitten.
Ich hatte mir das ja alles so ganz anders aus=
gemalt, ich wußte ja das alles nicht so ... ich wußte
vor allen Dingen garnichts davon, daß Fräulein
Jagert Ihnen so ... so verpflichtet ist ...
und ...

Alexander
fährt bei dem Worte „verpflichtet" heftig zusammen:

Hm?!

Der alte Vernier
hält verdutzt inne.

Alexander
steht auf und geht nach rechts. Tiefinnerlich:

Ach so .. ach so ...

Hanna
leise im Tone des Vorwurfs:

Aber — Herr Baron, wie können Sie ...

Alexander

bezwingt sich, höflich:

Pardon! Aber das . . . Freilich: wenn sich Fräulein Jagert mir so „verpflichtet" fühlt — so muß ich ihr dafür natürlich sehr „verbunden" sein. — Also Sie fürchteten nach Bernhards Briefen . . . Hm. — Zu Hanna: Und das war dann Deine Antwort?

Hanna

sehr verwirrt, leise:

Das .. ich habe nur .. Herrn von Vernier zu beruhigen, mich an das Äußerliche gehalten. Man .. man spricht doch nicht gern von seinen .. innersten Gefühlen.

Alexander:

Nein. Du hast recht. Nach einem langen Blick auf Hanna, mit tiefem Mitleid: Arme Hanna! —

Hanna

senkt den Blick.

Pause.

Alexander

bitter:

Aber Sie sind doch nun auch beruhigt, Herr Baron — nicht wahr? Es war nichts!

Der alte Vernier:

Lieber Herr Doktor Köniß: sein Sie mir nicht böse. Mir scheint: ich bin hier wohl ein rechter Störenfried geworden. Sehn Sie: Zeit meines Lebens, Zeit meines Lebens hat mir mein Temperament solche Streiche gespielt. Nachher, so wie zum Beispiel jetzt, da seh ich's ja ein. Seufzend:

Ich wäre wirklich besser zu Hause geblieben. Ja!
Steht auf und faßt erst Alexanders, dann auch Hannas
Rechte: Aber nehmen Sie's mir nicht übel! — Sie
auch nicht, Fräulein! Sie auch nicht! -- Ich ..
will nun wieder dahin .. wo ich hingehöre, nach
Westernach .. in die Nähe unseres Familienbegräb=
nisses. — Leben Sie wohl. Alle beide .. zusammen.
— — Meine Sachen hatt ich wohl .. ach ganz
richtig: die hatt ich ja unten gelassen. Also noch=
mals: Adieu .. Adieu .. Halb schon draußen: Und
sagen Sie dem Jungen lieber nichts! Blamieren Sie
mich nicht. Danke sehr! Das kann ich noch selber.

Hanna

hat ein Licht angezündet und begleitet ihn durch den
Arbeitsraum.

Alexander

bleibt allein zurück. Er preßt beide Hände gegen die Stirn
und steht einige Augenblicke in heftigster Erregung
zitternd da — —:
„Verpflichtet!" Oh ...

Hanna

kommt zurück, man hört ihre Schritte.

Alexander

beherrscht sich wie mit einem plötzlichen Ruck und geht
nach links.

Hanna

tritt wieder ein und geht nach rechts zum Schreibtisch. Im
folgenden vermeiden beide, auch beim Sprechen, sich anzusehen.

Alexander

während er sich seine Cigarre wieder ansteckt, im gleich=
gültigsten Tone:

Was haben wir denn eigentlich heute? Freitag!

Hanna

gleichzeitig:

Freitag. Mit den Paketen beschäftigt: Was hast
Du denn hier mitgebracht?

Alexander:

Was .. ach so. Nichts weiter .. die beiden
Bronzen, die Dir neulich so gefielen. Setzt sich:
Ich dachte mir, die würden vielleicht irgendwie in
Deine neue, fürstliche Einrichtung passen .. so in
irgend 'ne Ecke.

Hanna

wickelt die Bronzen aus:

Ah — die. Erfreut: Ach, das ist aber nett
von Dir!

Alexander:

Ja .. ja. Murmelnd: Man muß sich bei Zeiten
sein Denkmal setzen.

Hanua:

Wie?

Alexander:

Nichts, nichts. — Du, Hanna, ich habe einen
Brief von unserem Attentäter.

Hanna

lebhaft:

Von Conrad! Ach! Was schreibt er denn?
Woher denn?

Alexander:

Aus New-York. Aber er wird jetzt schon nach
London unterwegs sein. Er schreibt wenigstens —
Nimmt den Brief aus seiner Brieftasche.

Hanna
nach links:

Darf ich ihn lesen?

Alexander:

Na — nicht alles. Manches ist... Ich will
Dir das Nötige draus mitteilen. Also... Es ist
nämlich ein Untier von einem Briefe. Blättert darin:
Also im Anfang: hohes Pathos: „es ist mir ein
innerliches Bedürfnis", und so weiter. Natürlich.
Ist ihm alles. — „Ja, mein Herr: ich habe auf
Sie geschossen! Es war mir nicht zu verdenken nach
dem, was ich dazumal annehmen mußte... Jetzt,
zwei Jahre nach meiner Entfernung, wo ich in=
zwischen fortwährend und von den verschiedensten
Seiten Nachrichten über Sie und Hanna gesammelt
habe, gebietet mir indes eine innere Stimme, Ihnen
zu gestehen, daß ich damals irregeleitet, von der
Leidenschaft verblendet war." Dummkopf! Als wenn
der jemals nicht von Leidenschaft verblendet wäre.
„Zur Wut ward ihnen jegliche Begier." — Na
und nun kommt er denn natürlich auf die Partei
zu sprechen, und wie anders er das jetzt alles an=
sähe, Du hättest ganz recht gehabt, nur der Einzelne
könne heute kämpfen, der Einzelne — und allein.
In seiner Weise. Und so weiter! Die alten Ge=
schichten. Will den Brief wieder einstecken: Das können
wir uns schenken.

Hanna:

Das ist Alles?

— 93 —

Alexander:

Ja, so ziemlich. *Zögernd:* Noch so einige ..
dumme Redensarten über Dich. Doktrinäres Zeug ..
thorheitsvolle Deklamationen ...

Hanna:

Aber, Alexander, das mußt Du mir doch mit=
teilen. Ich bitte Dich!

Alexander:

Na, Gott .. es ist eben einfach .. dieselbe
Boniertheit, wie früher. Dabei riesig gute, liebe
Kerle — diese Atriden. Wenn sie einen auch manch=
mal in die Knochen schießen. *Suchend:* Wo ist es
denn? Hier. Also: „ich denke an sie bei Tag und
Nacht. Noch hab ich nicht mit ihr abgerechnet!
Vielleicht — wird es auch nicht mehr nötig sein.
Wenn alles so bleibt, wenn sie selbständig neben
Ihnen, in freier aber treuer Neigung", na: und
so weiter! Kannst Dir ja denken. A! „Es
schmiedete der Gott um ihre Stirn ein ehern Band."

Sag mal Hans .. nicht wahr: Du bist nun
neunundzwanzig Jahre alt. Weißt Du noch, was
ich Dir damals .. schon vor drei Jahren immer
gesagt habe .. wo Du Dir einredetest .. nur noch
einredetest .. Du hättest die „Aufgabe", dafür
zu sorgen, daß .. ich weiß nicht .. später einmal ..
übermorgen .. die Menschheit glücklicher würde,
als heute. Weißt Du noch? Denk mal dran! —
Ich pflegte Dir zu sagen: mein guter Hans, bis
zum fünfundzwanzigsten Lebensjahre .. da ist das
ja ganz schön .. da kann so was recht wohl zu
unseren Freuden dienen und also echt sein. Aber

nachher .. nachher wird man entweder ein Philister
.. so'n Mensch ohne innere Begeisterung für sich
selber .. so'n Epigone seiner Jugend .. „Demokrat
von Achtundvierzig" .. Reichstagsabgeordneter, kurz
ein Steinesel — o d e r man sucht sich n e u e Ideale ..
man wird sich etwa klar, besinnt sich darauf, daß
man doch eigentlich selber auch — d a i s t, sozu=
sagen! Daß i ch, daß D u doch wohl gewissermaßen
lebst .. verstehst Du? L e b st! Erhebt sich: Und
wenn man dann auch nur eine Spur von gutem
Gewissen als Mensch hat .. ich meine, auch nur 'n
bischen Ehrgeiz, ein Individuum zu bedeuten, so daß
man es riskieren kann, zu sich selber I a zu sagen
— — dann jagt man die ganze Resignationsfaßkerei,
all das wehleidige Gejammere um die lieben Mit=
menschen der nächsten Jahrhunderte schönstens zum
Teufel und sagt sich: ich und noch einmal i ch — will
ein ganzer sein! Ein ganzer — ein einziger — ich selber!
Er humpelt einmal hastig durchs Zimmer und setzt sich
dann wieder.

Hanna:

Alexander! Wenn man Dich so sprechen hört,
sollte man meinen, Du wärst der krasseste Egoist
von der Welt. Und dabei hast Du es noch nie im
Leben fertig gebracht ...

Alexander:

Ach bitte, das ist Sache des Geschmacks. —
Aber in gewissen Dingen ist es nicht nur geschmack=
los, wenn man zu viel an andere denkt, sondern
auch — unsittlich. Was wir so nennen müssen. —
In ganz anderem, herzlich warmen Tone: Hanna! Du
fühlst Dich ja nicht frei ... nicht glücklich ...

— 95 —

Hanna
ſetzt zum Sprechen an. Schweigt.

Alexander:

Nein, Hans: Du biſt nicht glücklich. Du biſt
nicht glücklich. Die ganzen zwei Jahre ... meinſt
Du denn, ich fühlte das nicht? Dieſes dumpfe, be-
ſinnungsloſe Arbeiten und Arbeiten die ganze Zeit
her — hältſt Du mich denn für ſo dumm, meinſt
Du: ich hätte nicht begriffen, wie wenig das nach
Deinem Herzen war? Wie wenig Du — Du ſelber
geweſen biſt — all die Zeit her? — — — — —

Hanna: es kommt ja ſelten vor, daß wir ...
wir Egoiſten uns — ausſprechen. Auch das geht
uns zu vielfach wider den Geſchmack. Aber jetzt.
Wir ſind nun mal dabei. Ich wenigſtens. — Sieh
mal: wir wollen es uns doch nicht verhehlen: es
... iſt anders mit uns gekommen, als wir es uns
gedacht haben. — Woran es gelegen hat, das iſt
ſchwer zu ſagen ... und im Grunde ... jetzt kann
es uns gleich ſein. — Damals, als die bewußte
Kataſtrophe mit all ihren aufdringlichen Begeben-
heiten und dummen Knalleffekten vorüber war ...
meine Wunde geheilt war, und ich wieder laufen
gelernt hatte ... als Du dann hier eingerichtet
warſt und ſo weiter — da hätte ja eigentlich
zwiſchen uns wieder alles ſein ſollen, ſein können
wie vorher. Aber ...

Hanna
flehend:

Aber Alexander! Gewiß! Und noch ganz
anders! Sprich doch nicht ſo. Wie unendlich mußte
ich Dir — Beider Blicke treffen ſich, ſie ſchweigt.

Alexander

eisig:

... verpflichtet sein. Jawohl. Möglich, daß
es grade daran lag. — Es war eben thatsächlich
alles anders geworden. Du hattest Dir auch wohl
zu viel zugemutet ... Hm.

Pause. In anderm Ton:

Na aber, was nutzt das Reden. Lassen wir
das! Wir quälen uns ja nur, indem wir darüber
sprechen. Dazu sind wir doch nicht für einander
geboren. Nervös: Wir sind überhaupt nicht für ein=
ander geboren. Das ist Verfolgungswahn. — —

Pause. Er seufzt. Dann gleichgültig:

Ja, ja ... Da fällt mir übrigens ein: erst das
Geschäft und dann das Vergnügen. Wolltest Du
mir nicht tausend Mark zahlen heute?

Hanna

lebhaft, geht zum Schreibtisch:

Ach, ja. — Ich hatte Dir auch schon die Quit=
tung geschrieben. Wo ist sie denn? Durch die
Besuche ... der Freudenberg war auch oben ...
Sie hat das Papier gefunden: Ach hier. Willst Du
Dich herbemühen, oder soll ich Dir ...

Alexander:

Ich komme schon. Geht zum Schreibtisch.

Hanna:

Der alte Herr hatte sich bei ihm nach mir er=
kundigt. Reicht ihm den Federhalter: So, bitte. Datum
hab ich schon.

Otto Erich Hartleben, Hanna Jagert.

Alexander
unterschreibt:
So, damit sind wir ja dann wohl quitt?

Hanna
steht am Geldschrank, dem sie einen Tausendmarkschein ent=
nimmt:
Jawohl. Damit bin ich Dich — ###### Sie schweigt

Alexander
lachend:
Aber Hans, was ist denn das heute mit Dir? Du sprichst ja Deine besten Einfälle nicht aus.

Hanna
giebt ihm den Schein. Bittend, leis:
Alexander!

Alexander:
Nein, nein: das war wirklich ein ganz ge= scheiter Einfall. Damit bist du mich allerdings — los! Er steckt den Schein ein: Ich wünschte nur, Du hättest erst den Mut zu ... zu Deinen Einfällen. So den rechten Frauenmut. Das ist was beson= deres! Es ist eine Eselei, immer bloß von Mannes= mut zu sprechen. — — Na, aber nun will ich auch gehn.

Hanna:
Gehn?! — So plötzlich?

Alexander
zieht sich den Mantel an:
Ja. Ich habe noch — was vor. Eine wich= tige Sache. Etwas Menschenfreundliches. Ent=

schuldige mich heute Abend. Du wirst auch müde
sein ...

Hanna
leise, traurig:

Du quälst mich ...

Alexander
beinah heiter:

Das — ist ein Irrtum. Also, adieu, Du ...
Du Schülerin. Und haft noch immer nicht aus=
gelernt. Schäm Dich was! — Adieu! Er reicht ihr
die Hand: Adieu.

Hanna
mit niedergeschlagenen Augen, ergreift mit beiden Händen
seine Rechte:

... Adieu.

Alexander

geht zur Thür. Dort wendet er sich noch einmal um und
faßt Hannas Kopf in beide Hände. Mit tiefem Gefühl:

Leb wohl, Du ... Leb wohl ... Er küßt sie
auf die Stirn.

Hanna
mit ausbrechenden Thränen:

So geh doch nicht, Alexander! Laß uns doch
noch sprechen ...

Alexander
sich losmachend:

Bitte, bitte ... Nur kein Mitleid! Das ver=
bitt ich mir! Das schickt sich nicht für Dich! So!

Er reicht ihr noch einmal die Hand. Sie schlägt ein. Er sieht sie voll an und schüttelt ihr kräftig die Hand: So. — Tonlos: Leb wohl. Schnell hinaus:

Hanna

wirft sich schluchzend in den Sessel vor dem Schreibtisch:

Oh, ich ... Plötzlich aufspringend, ruft sie laut: Alexander! Ab. Man hört sie draußen rufen: Alexander! Sie kommt zurück und bleibt einen Augenblick schwer atmend stehen. Dann geht sie erschöpft nach links, wo sie sich nieder= läßt. Sie trocknet ihre Augen und schüttelt sinnend den Kopf. — Sie schlägt ein Geschäftsbuch auf und taucht die Feder ins Tintenfaß.

Vorhang.

Dritter Act.

Seene: Zimmer in Hannas Privatwohnung. — Die Möbel sind zum Teil dieselben, wie im zweiten Act. In der Mitte des Zimmers ein großer Tisch mit hochlehnigen Stühlen. Darüber eine brennende Lampe. Die Mitte des Hintergrundes nimmt ein großer Bücherschrank ein. Rechts davon die Thür zum Korridor, links das Ecksofa mit Tisch. — Auf der rechten Seite vorn steht der Geldschrank, dahinter ein Füllofen, der einen Feuerschein ausstrahlt. — An der linken Seite vorn der Schreibtisch, dahinter die Thür ins Nebenzimmer. — Die Einrichtung ist ernst und gediegen, mehr in der Art eines Herrenzimmers. Dunkle Portieren und Decken.

Hanna

in einem schwarzen Kleide von eleganter Einfachheit, sitzt vorn am Mitteltisch und liest einen Brief.

Lieschen

sitzt, in befangener, kerzengerader Haltung, rechts am Mittel- tisch. Sie trägt ein hochmodernes Promenadenkostüm und sieht sich mit neugieriger Scheu im Zimmer um.

Hanna
läßt den Brief sinken. Bewegt:

Die gute Mutter. — Aber persönlich traut sie sie sich doch nicht her.

Lieschen

in einem gezierten Ton, aus dem sie nur hin und wieder
herausfällt:

Ach, sie thät es ja wohl. Aber Du weißt ja,
wie Dein Vater ist. Ich geh selber immer nur hin,
wenn ich bestimmt weiß, daß er nicht zu Hause ist.

Hanna

nachdenklich:

Hm. — Heut, nach Tisch hat sie Dir den Brief
gegeben?

Lieschen:

Ja, sie ist extra deswegen zu uns gekommen.
Sie hat ja so 'ne Bange!

Hanna

ernst, ohne Lieschen anzusehen:

Die gute Mutter! — — Ach was! Es ist ja
nichts! Nichts! Sie erhebt sich: Sie beurteilt Conrad
ganz falsch. Ich — will ihn erwarten.

Lieschen:

Ach, Hanna: er ist jetzt noch viel rabiater, wie
früher. Du glaubst garnicht, wie er sich verändert
hat. Ich denke mir, er wird sich in Amerika oder
in London so 'n stillen Suff ergeben haben. Von
wegen der Seeluft weeßt Du.

Hanna:

Das kann ich mir nicht denken.

Lieschen:

Ach doch, ja. — Nein: wir sind alle schrecklich
besorgt um Dich. Ne wirklich: wir haben mächtige
Manschetten um Dir!

Hanna:

So. — Ach, das sind ja Einbildungen.

Lieschen:

Na, na: sag das nicht! Erst gestern hab ich
wieder im Lokalanzeiger gelesen, wie einer aus Liebe
zwei Mädchen auf einmal totgeschossen hat. Bloß: er
wußte nicht, welche sollt er nehmen. Na, und nu Dein
Vater! Der putscht ja nu noch immer! Der macht
ihn nu erst ganz wild! Weißt Du, was er ihm
nach London geschrieben hat? Ach ne: das will ich
Dir doch lieber nich sagen. Na, aber, Du darfst
es mir nich übelnehmen! „Sie avanciert", hat er
geschrieben. „Sie avanciert. Jetzt ist sie schon die
Maitresse von einem Grafen." Ja. Weißte, Dein
Vater kennt eben absolut nich den Unterschied zwischen
einem Grafen und einem Baron. — Er hat eben
keene Bildung.

Hanna:

Das hat ... mein Vater geschrieben?

Lieschen:

Was ich Dir sage! Darauf ist ja eben Courad
hergekommen. Ohne an die eigene Polizei=Sicher=
heit zu denken — umgehend! Denk doch mal, wenn
sie den kriegten!

Hanna
schüttelt traurig den Kopf:

Also das ...

Lieschen:

Ja. Und Du wärst eine Begehrliche!

Hanna:

Eine Begehrliche? Was heißt denn das?

Lieschen:

Ja, ich weiß nicht. Davon spricht er auch so
immer. Was die richtigen Arbeiter wären, die
hätten die Begehrlichkeit nicht. Das wär 'ne Lüge.
Die wollten bloß ihr gutes Recht. — Aber die
Reichen — was er so die Bürgerlichen nennt, und
auch die Adligen — die hätten die Begehrlichkeit
und wollten immer noch mehr haben. Und Du
wärst auch 'ne Begehrliche. So is es.

Hanna
bitter:

„So is es." Ja. Er hat recht. Sie —
haben die Begehrlichkeit nicht. Es ist schlimm. —
— Also mein liebes Lieschen: ich danke Dir sehr
für Deine freundlichen ... Eröffnungen, und ...
Bitte, geh noch heute Abend zur Mutter, ja? Sag
ihr, sie solle keine thörichte Angst haben. Mit Conrad
würde ich schon fertig werden. Ja — es würde
mich freun, wenn er käme. Ihm gegenüber kann
ich mich rechtfertigen. Er ist nicht wie mein Vater.
Der wird mich freilich nie mehr verstehn.

Lieschen:

Ja, da hast Du wirklich sehr richtig. Gerade
so geht's mir mit Mutter. Die versteht mich auch
partout nich.

Hanna:

So?

Lieschen:

Partout nich. Gott, und es ist doch so ein=
fach! Was soll man denn machen, wenn man
weiter kommen will und ... und will was vom

Leben haben. Is nich wahr? Heiraten thut einen
ja doch kein anständiger Mensch mehr, und schließlich:
was hab ick denn davon, wenn da nu auch wirklich
so'n Maler oder Maurer kommt, der selber nichts
zu brechen und zu beißen hat ... und Kinder will
er womöglich auch haben. Ne, ne! Wenn man
erstmal mit seine Herrn so in besserem Verkehr ge=
standen hat — nachher paßt einem das schon lange
nicht mehr. Schon lange nicht mehr. Hab ich
nicht recht?

Hanna:

Gewiß, Lieschen — und es ist schön, wenn
man recht hat. Aber ...

Lieschen:

Nicht wahr! Ach! Weißt Du, liebe Cousine:
die andern ... die waren ja einfach alle viel zu
dumm. Aber ich ... ich kann wohl sagen: von
allen Anfang an habe ich allein immer die richtigste
Auffassung über Dich gehabt! Und wenn ich früher
manchmal so'n bißchen eklich gegen Dich gewesen bin
.. so is das immer blos Neid gewesen. Wahr=
haftigen Gott!

Hanua
belustigt:

Ja, ja: ich hab das ja auch niemals anders
aufgefaßt.

Lieschen
beteuernd:

Hand aufs Herz —: bloß aus Neid! Niemals
so wie die andern, aus Moral, oder so. Keine
Spur! Denn wozu? Heutzutage muß man
modern sein.

Hanna
lächelnd:

Woher weißt Du das?

Lieschen:

Ach, das hab ich nu allmählich selber raus=
gekriegt. — Nein, wirklich, liebe Cousine: Du glaubst
gar nicht, wie lange ich mich schon danach gesehnt
habe, mich einmal so recht ordentlich mit Dir aus=
zusprechen. Wirklich wahr! Denn im Gruude, mußt
Du wissen, in meinem Innern, hab ich Dir eigent=
lich immer recht gegeben. „Ganz recht, hat sie, hab
ich immer gesagt —: ganz recht! Was kann das
schlechte Leben helfen!"

Hanna
lacht auf.

Lieschen
in das Lachen einstimmend:

Na ja — is doch aber auch wahr! — Siehste:
und deshalb, liebe Cousine, mein ich: wir beide
sollten doch ... He? —

Hanna
weicht Lieschen, die ihre Hand fassen will, aus. Ernst und kühl:

Verzeih! Ich hab jetzt keine Zeit mehr. Ich
muß noch mal hinunter ins Geschäft. — Also noch=
mals: sag der Mutter meinen besten Dank für
ihre .. „Warnung", aber .. Du weißt ja nun.
Kann ich Dir sonst noch mit .. etwas dienen.

Lieschen
affektiert=verletzt:

Nicht, daß ich wüßte. Danke sehr. Im anderm
Ton, schnell: Das heißt ... Vertraulich: Du,

Hanna .. sei doch mal offen gegen mich! Giebt
Dir denn Dein Baron viel?

Hanna
heftig:

Ach, bitte, Lieschen . . geh jetzt! Weshalb
meine Mutter gerade Dich zu mir geschickt hat ...
Na .. jedenfalls .. Sie zieht ihre Portemonnaie:
.. Ich will nicht undankbar sein: da, hier —
Giebt ihr ein Goldstück: Für den Weg.

Lieschen

nimmt das Geld und betrachtet es einen Augenblick un=
schlüssig schwankend, dann steckt sie es ein und sagt kühl, fast
herablassend:

Bitte sehr, bitte sehr — hat nichts zu sagen.
Ich will nicht länger stören. Wendet sich zum Gehen:
Adieu.

Hanna
abgewendet:

Adieu. Setzt sich links an den Schreibtisch.

Lieschen
zuckt die Achseln:

P—hö! Nach hinten ab.

Hanna

nachdenklich vor sich hin sehend, schüttelt den Kopf. —- Pause.
— Aus ihren Gedanken heraus, halb lachend:

„Was kann das schlechte Leben helfen!" Steht
auf und klingelt. Dann geht sie zum Schreibtisch zurück,
nimmt einige Briefe an sich und schließt ihn zu.

Hedwig
tritt von links ein.

Hanna:

Hedwig, ich bleibe heute Abend zu Hause.
Legen Sie noch nach. Ich gehe jetzt hinunter.
Wenn der Herr Baron kommt, bitten Sie ihn, hier
oben auf mich zu warten. *Geht zur Thür. Es klingelt
draußen. Sie bleibt stehen:* Sollte er das schon sein?
Sehen Sie nach.

Hedwig
nach hinten ab.

Hanna:

Oder gar ... *Sie nestelt nervös an ihrem Haar.*

Bernhard
tritt schnell ein. Laut und lebhaft:

Guten Abend! Guten Abend. Ach Pardon!
Ich vergesse immer, draußen erst abzulegen. *Schnell
wieder ab.*

Hedwig
tritt durch die offene Thür ein, geht über die Bühne und
links ab.

Bernhard
von draußen, durch die offene Thür sprechend:

Könntest Du dem guten Mädchen nicht an-
gewöhnen, mir hierbei behilflich zu sein?

Hanna
lächelnd:

Aber Bernhard ... Selbst ist der Mann.

Bernhard
im Eintreten:

Na ja, schon gut, weiß schon ... Wie geht's?
Tritt zu ihr und küßt ihr die Hand: Gut, natürlich. Wie?

Hanna:

Dir auch. Danke. — Aber Du kommst ja heut so früh. Ich muß noch herunter.

Bernhard:

Herunter! Immer herunter! Schrecklich! Gepreßt: Oh, Hanna, Du . . Zieht sie an sich und küßt sie, dann läßt er sie los und wendet sich ab: Du ahnst ja nicht, wie traurig Du mich machst mit Deinem . . mit diesem ewigem „Geschäft".

Hanna:

Aber mein lieber Bern! Du mußt doch ver= nünftig sein. Selbst wenn ich nun das Geschäft verkaufen wollte —

Bernhard
lebhaft:

Wie? — Nun?

Hanna
lächelnd:

Ich meine: selbst dann müßte ich doch bis zum letzten Tage in alter Weise darin thätig sein. Darauf beruht doch nun mal — meine Freiheit.

Bernhard:

Eine schöne Freiheit!

Hanna:

Ja! Dem einen kommt sie teuer — dem andern billig zu stehn. Das ist nun mal nicht anders — einstweilen. — — Aber jetzt laß mich. Die Mädchen warten auf mich. Laß Dir die Zeit nicht lang werden. Da! Sie deutet auf den Bücherschrank: Falls

Du etwas für Deine Bildung thun willst. Auf Wiedersehn. *Geht zur Thür. Dort bleibt sie stehen. Leise, zärtlich:* Bern?

Bernhard:

Ja?

Hanna:

Ich habe Dir nachher .. etwas zu sagen.

Bernhard:

Ja? Was denn?

Hanna:

Nachher! — O, wir wollen so frohe Menschen werden, Bern . . .

Bernhard
nähert sich ihr:

Hanna!

Hanna
hebt abwehrend die Hand:

Pst! Nachher. *Schnell ab.*

Pause.

Bernhard
ist sehr ernst geworden. Er seufzt laut und geht nach links. Gepreßt:

Wie ein Kind! Wie ein Kind! —

Hedwig
von links, mit Kohleneimer, geht zum Ofen.

Bernhard
auffahrend:

Was?! Sie wollen doch nicht etwa gar noch einheizen?

Hedwig
unbeirrt:

Fräulein hat's befohlen.

Bernhard:

Aber, mein Gott, es ist ja schon eine tropische Glut hier!

Hedwig
unbeirrt, antwortet nicht, sondern schüttet Coaks auf.

Bernhard
mit Selbstironie:

Freilich —: wenn's Fräulein befohlen hat ... Setzt sich an den Ecksofatisch und schlägt ein Buch auf. Legt es wieder weg: Ä! — Sagen Sie mal, Hedwig, ich wollte Sie schon immer mal fragen ..!

Hedwig
unbeirrt am Ofen beschäftigt.

Bernhard

Ich meine: gesetzt den Fall, es vollzöge sich hier eine plötzliche, oder sagen wir wenigstens eine baldige .. Veränderung .. daß Fräulein von Berlin fortzöge, oder so — ich meine: Sie würden doch mitgehn — was?

Hedwig:

Das ist gar nicht möglich.

Bernhard:

So? Na ...

Hedwig:

Fräulein wird niemals von Berlin fortziehn.

Bernhard

ärgerlich:

Sehr gut! Woher wissen Sie denn das?

Hedwig

ohne sich umzuwenden, mürrisch:

Fräulein wird sich hüten und wo anders wieder von vorn anfangen.

Bernhard

abbrechend:

Na! —

Hedwig

ist fertig und erhebt sich. Kalt:

Herr Baron kennen eben unser Fräulein erst oberflächlich.

Bernhard

streng:

Ach bitte! Es klingelt.

Hedwig

sieht Bernhard einen Moment feindselig an, zuckt dann die Achseln und geht ruhig nach hinten ab.

Bernhard

allein, wütend:

's is .. es ist wirklich ...

Hedwig

öffnet Alexander die Thür. Höflich:

Bitte, Herr Doktor! Sie ist ihm beim Ablegen behilflich. Dann ab.

Bernhard

in höchstem Erstaunen:

Herr Doktor! Sie!? —

Alexander:

Ja — ich. Guten Abend.

Bernhard

tritt näher und reicht ihm die Hand:

Guten Abend.

Alexander

hält die Hand fest, ernst:

Ich .. muß vor Allem noch um Verzeihung bitten, daß ich Ihnen auf die traurige Nachricht vom Ableben Ihres Herrn Onkels .. nur schriftlich geantwortet habe. Aber .. mein Pedal war mal wieder .. nicht in Ordnung .. ist es auch eigentlich jetzt noch nicht. Ich wäre sonst längst über alle Berge.

Bernhard:

Ja, ich hörte schon, Sie wären in Sicilien.

Alexauder

hinkt nach dem Stuhl rechts am Mitteltisch:

Bin ich auch. Wenigstens ... Wollte heute schon unterwegs sein. Hm. Setzt sich.

Bernhard

im Tone freundlichen Vorwurfs:

Die ganze Zeit haben Sie sich nicht wieder sehen lassen. Seitdem!

Alexander:

Sie meinen: Ruinen gehören zur Landschaft.

Bernhard

herzlich:

O, pfui. Wir wollten doch gute Freunde bleiben!

Alexander:

Ja. Na, und aus — Feindschaft bin ich nicht
weggeblieben. Oder meinen Sie?

Bernhard:

Lieber Freund!

Alexander:

Na also. — Ach hier ist es hübsch warm.
Ganz wie in Sicilien. Überhaupt, riesig behaglich!
Seufzt: Ja, ja! Wer sich hier so festsetzen könnte,
der — wär ein Esel, wenn er — auf Reisen
ginge. Wie?

Bernhard:

Na sehn Sie. Weshalb kommen Sie da nicht!

Alexander:

Tja . . wer weiß! Vielleicht ist es eine an=
geborne Scheu . . das dritte Rad am Bicycle zu
spielen. Vielleicht . . ist das so der Stolz meiner
Männerseele, wie Lasker sagte. Lassen wir's un=
entschieden. Soviel ist sicher: heute hab ich einen
hinreichend legitimierenden Grund zu kommen.

Bernhard:

Bitt um Entschuldigung, Herr Doktor, aber
ich sollte meinen, Sie als alter Junggeselle hätten
eigentlich immer berechtigte Ursache . . .

Alexander:

Andre Leute zu stören? Nein! Da saß ich
nun meine Situation doch menschenfreundlicher auf.
Das wird mir auch gar nicht so schwer, wie Sie
glauben. Denn, abgesehn von der einen denkwürdigen
. . Ihnen ja nicht unbekannt gebliebenen Episode,

hab ich mein Leben lang eigentlich immer draußen gesessen .. verstehn Sie? draußen. Ich bin das also gewohnt.

Bernhard
verlegen:
Aber, lieber Herr Doktor ..

Alexander:

Ja, ja. Sie vergessen immer: es ist noch gar nicht so unmenschlich lange her, daß ich ein .. bettel= armer Student war .. der geborene Bildungs= proletarier .. eben: bis ich eines Tages meine Ent= deckung machte. Ich bin also garnicht verwöhnt, wirklich nicht. Hab es früh genng gelernt, mit mir allein zu sein. — Hm. — Na, aber .. davon ist ja garnicht die Rede. Sagen Sie mir vor allen Dingen: wie geht es Ihnen denn? Ich meine: wie gut? Was macht die Kunst? Oder: die Künste, muß man bei Ihnen fragen. Haben Sie sich nun für eine entschieden? Hat die Violine gesiegt? Die liebe Violine! Wie geht es ihr?

Bernhard:

Na, ich danke. Besser wie mir. Sie hat Ruhe. —

Alexander
sieht ihn an:
Hm. *Er nimmt eine Cigarre aus seinem Etui:* Ja: das ist nun eine äußerst schwierige Sache —: Sie rauchen nicht?

Bernhard:
Nein. Aber bitte ...

8*

Alexander:

Infolge dessen wird die Herrin den Tabaks=
geruch gar nicht mehr gewöhnt sein. Und Sie ..
sind hier eigentlich doch zu wenig kompetent .. Er
hat währenddem die Cigarre abgeschnitten, in Brand gesetzt
und raucht jetzt mit Behagen die ersten Züge: .. sonst
würd ich Sie nämlich um die Erlaubnis gebeten
haben.

Bernhard:

Na ja: da haben wir's?! Nun fangen Sie auch
noch an!

Alexander:

Aber, was denn?

Bernhard:

Ach, liebster Herr Doktor —! Sie haben ja
keine Ahnung, wie ich hier in diesem Hause behandelt
werde ... Das spottet einfach jeder Beschreibung!

Alexander
behaglich:

Na .. dann beschreiben Sie's mal.

Bernhard:

Wenn mir das früher einer gesagt hätte! und
ich .. säße infolgedessen jetzt .. wegen Totschlags aus
Jähzorn im Gefängnis — mir wäre wohler. —

Alexander:

Na nu!

Bernhard:

Sehn Sie .. ehemals, wenn ich so in den
Ferien nach Hause kam .. und so sah, wie mein

guter alter Onkel so hin und wieder saugrob wurde gegen die Leute .. das konnt er werden .. da fand ich, als empfindsamer Musensohn, das einfach schrecklich, einfach schrecklich. Einmal hab ich meinem Onkel sogar eine richtige Rede darüber gehalten... A—ber, wissen Sie — das war ja alles Kinderei, das war ja der reine Humanitätsdusel im Vergleich mit der Art und Weise, wie man hier mit mir umspringt! — — Und, was das Schönste ist, nicht bloß die Herrin behandelt mich so .. na, wie soll ich sagen .. so als liebenswürdigen Zimmerschmuck .. auch die Sklavin, diese gußeiserne Hedwig .. glauben Sie, die hätte irgendwie eine begründete Überzeugung von der Zweckmäßigkeit meines Daseins? Keine Spur.

Alexander

lacht.

Bernhard:

Ach, lachen Sie nicht! Das ist sehr schlimm. — Noch hab ich ja wenigstens einigen Galgenhumor .. aber auf die Dauer .. wie soll man sich selber dabei den guten Glauben .. an die Wichtigkeit der eigenen Existenz erhalten!

Alexander

trocken:

Sie haben Recht. Das muß furchtbar schwer sein.

Pause.

Bernhard

in verändertem Ton, sehr ernst:

— Und es geht auch nicht so weiter. —

Alexander
ebenfalls ernst, beinah erschrocken:
Was — sagen Sie?

Pause.

Bernhard:

Sowas paßt eben nicht für jeden. Bei Ihnen war das was Anderes. Bei Ihnen hatte es keine Gefahr .. mit der Selbständigkeit. Sie standen ihr in anderer Beziehung nicht nur gleichberechtigt gegenüber, waren ihr nicht bloß gewachsen — Sie waren ihr sogar von vornherein entschieden über= legen, als ihr Lehrer gewissermaßen. Sie hatte sich Ihnen geistig ein für allemal untergeordnet.

Alexander:
Leider, ja.

Bernhard:

Ich dagegen besitze Gottseidank nicht die geringsten pädagogischen Talente! Und da Hanna nach dieser Richtung hin bisher offenbar — ver= wöhnt war — so gelt ich ihr nicht für voll. Ein Erzieher wird gesucht!

Alexander:
Na, na, na . . .

Bernhard:

Ja, ja! Sie hat mich gewiß sehr lieb — das weiß ich — aber die Art und Weise, wie sie mich behandelt, das ist doch .. das ist doch nicht . . .

Alexander:
Nun?

Bernhard:

Ach! Das ist doch so nicht das richtige Verhältnis zwischen Mann und Weib.

Alexander:

Hm, hm!

Bernhard:

Nie und nimmer nicht! Wissen Sie, wie mir das vorkommt? Direkt verdreht kommt mir das vor: gerade umgekehrt! Als ob ich — ihr Geliebter wäre.

Alexander:

Ja — ist das denn nicht der Fall?

Bernhard:

Mein Herr!

Alexander:

Mein hoher Herr!

Bernhard:

Ach! Sie verstehn mich ja ganz gut.

Alexander:

Ja — wer weiß! Vielleicht .. verstehe ich Sie so, daß nach Ihrer Ansicht die Sache in Ordnung wäre, wenn Hanna — Ihre Geliebte wäre.

Bernhard
verdutzt:

Wie? — Na nehmen Sie's mir nicht übel, aber — es ist doch wirklich arg, in welcher Weise sich Menschen wie Sie .. das Einfachste und Natürlichste, was es überhaupt auf der Welt giebt .. das Verhältnis zwischen Mann und Frau .. künstlich

verzwickeln und verzwackeln, bis kein gesunder Mensch
mehr d'raus gescheit wird. Ja, ja! Darin sind Sie
Virtuose! Von Ihnen hat auch Hanna alle ihre
Schrullen.

Alexander

qualmend:

Wenn ich von Ihnen absehe ..

Bernhard:

Von mir nimmt sie gar nichts an.

Alexander:

So. Na, wie Sie meinen. Jedenfalls —:
Menschen wie ich glauben eben nicht daran, daß ..
das Verhältnis zwischen Manu und Frau .. heut=
zutage wirklich so einfach, so natürlich gegeben sei.
Menschen wie ich sind vielmehr der Überzeugung,
daß es zur Zeit einmal wieder Problem geworden ist.

Bernhard:

„Problem"! — Ich bin kein Nußknacker.

Alexander:

Nein. Es wäre Unrecht, das zu behaupten.

Pause.

Bernhard

treuherzig:

Lieber Herr Doktor! Mir ist das Herz so voll!
Und Ihnen gegenüber hab ich von jeher ein so
unbegrenztes Vertrauen gehabt. — Sie haben mir
noch nicht gesagt, weshalb Sie herkommen, aber es
ist gut, daß Sie da sind. Lassen Sie mich mal

wahnsinnig offen gegen Sie sein. Sie sind der einzige Mensch, den ich kenne, vor dem man sich damit nichts vergiebt. *Er reicht ihm die Hand.*

Alexander

nimmt die Hand und sieht ihn an. Ernst:

Ich danke Ihnen. —

Bernhard:

Sehn Sie: wenn ich mir Hannas Wesen klar=zumachen versuche .. ich weiß ja so schrecklich wenig darüber, wie sie eigentlich — geworden ist. Ich habe sie durch Sie als eine fertige, in sich ab=geschlossene Natur kennen gelernt ...

Alexander:

Meinen Sie? Nun — ich und die Thatsachen, wir können Ihnen darin nun leider doch nicht Recht geben.

Bernhard:

Ja ...

Alexander:

Aber einerlei. Sie wollen von mir etwas über die Zeit hören, wo ich .. Hannas Erzieher war. Nicht wahr? Nun ja: ich versteh schon. —

Pause.

Ja, also — das Einmaleins hab ich ihr nicht beigebracht. Und daß es im Leben häßlich ein=gerichtet sei, auch nicht. Solche Elementarkenntnisse brachte sie mit. — Aber andre Sachen, daß es sehr schöne Verse gäbe .. und sehr schöne Bilder und .. und auch guten Rotwein ... Und daß das Leben überhaupt um des Leben willen schön sei. Solche Dinge, wissen Sie. — — Hm. Ja. Wenn

ich an dieses Erwachen, dieses Aufkeimen, an diesen
Frühling in ihren Sinnen denke!.. Hungrig und
durstig war sie zu mir gekommen. Es war ja wie
eine neue Welt für sie! Wie eine neue Religion —
der Schönheit — der Kunst — des Genusses. Bis
dahin war die Partei ihr Ein und Alles gewesen.
Solange da der holde Glaube an die baldige
Revolution .. vorgehalten hatte, war das ja gegangen.
Aber nun war er weg. Und was noch blieb —
du lieber Gott! Das war doch alles gar zu schnell
vom Verstande verzehrt — von einem solchen
Verstande! Und nun das Herz .. das Gemüt .. und
die lieben Sinne? Die hungerten und dürsteten, wie
gesagt — es war ein Jammer mit anzusehn. — —
Da hab ich ihr nun alle Thüren weit geöffnet!
Und was hab ich mich da aus innerstem Herzen
freuen dürfen, wie sie alsbald, nachdem so die erste
Schüchternheit überwunden war, mit naivem Appetit
an all die guten Dinge des Lebens heranging! —
Mit einem tiefen Seufzer: Ja! — Und noch jetzt ..
an Wintertagen .. werd ich warm, wenn ich daran
zurückdenke. — Vor dem Frühling selber aber ..
flücht ich .. nach Italien. Der ist mir nun mal ..
verleidet. Und da unten, da ist er jetzt schon —
überstanden.

Pause.

Bernhard:

Hm. — Und .. Herr Doktor .. entschuldigen
Sie .. haben Sie nun damals nie daran gedacht,
Hanna .. zu heiraten?

Alexander
fährt vor Überraschung ein wenig zusammen:

Ach — haben Sie vielleicht einen Aschenbecher?

— 122 —

Bernhard:

O Pardon! Stellt ihm einen hin.

Alexander:

Danke schön. Hm. — O ja, mein Lieber:
daran hab' ich wohl gedacht.

Bernhard:

Aber?

Alexander:

Aber sie nicht.

Bernhard:

Was?! Sie wollte nicht?!

Alexander:

Nein.

Bernhard:

Unmöglich! Pardon, aber — das versteh ich
nicht. Das ist mir neu.

Alexander:

Nicht wahr? Das geht wider die Natur! Aber
trösten Sie sich, Herr Baron —: ich als Plebejer
hab es damals auch nicht gleich — kapiert. Ja,
ja. Seufzt: Na, das soll uns aber nicht abhalten,
die Fahne der Wissenschaft und .. und der „Philo=
sophie des freien Menschentums" aufrecht zu erhalten,
und wenn Sie soviel Einfluß auf Ihre Freundin,
die gußeiserne Hedwig zu besitzen glauben, so bitte,
klingeln Sie mal und bestellen mir irgend was
Trinkbares: mein Abenddurst meldet sich.

Bernhard
klingelt:

Verzeihen Sie: ich hätte schon dran denken können.

Hedwig
von links, zu Alexander:

Herr Doktor befehlen?

Bernhard
scharf:

Ich habe geklingelt. Bringen Sie eine Flasche zu Alexander: Rotwein, nicht wahr?

Alexander
lächelnd, nickt.

Hedwig:

Ich habe keinen Schlüssel.

Bernhard:

Ach bitte, dann gehen Sie gefälligst hinunter und lassen ihn sich von Fräulein geben.

Alexander
giebt der noch zögernden Hedwig hinter Bernhards Rücken einen Wink, worauf sie nach hinten abgeht:

Na sehn Sie, wie sie gehorcht.

Bernhard:

Gehorcht? Das nennen Sie gehorchen? Solche Augen hab ich ihr erst machen müssen! Schaut Alexander gebieterisch an: Da haben Sie's nun mal selber gesehn. Das muß ich mir nun gefallen lassen. Ich! — Nein, nein! Es geht nicht! Ich bin nun einmal nicht der Mensch dazu. Das hab ich einfach

nicht gelernt! Es scheint, ich soll mir erst durch
kordiale Formen die Schwesternliebe dieser Person
erschleichen — ehe ich sie um etwas bitten darf.
Wetter auch! Das ist mir nicht gegeben! — — —
Aber wenn ich Hanna das sage, dann .. dann
lacht sie!

Alexander:

Ja, sie ist ein herzloses Weib.

Bernhard:

Sie ist das herrlichste Weib der Welt, aber in
einer Weise egoistisch —: es existiert für sie nichts —
absolut nichts — außer ihr.

Alexander:

Gott sei Dank.

Bernhard:

Und was ist aus mir geworden! Ich habe ja
gar keine Contouren mehr. Ich ... Aufgeregt: Aber
es hat ein Ende. Heute noch! Ich wollt's Ihnen
schon vorhin sagen .. es ist das ein Entschluß, mit
dem ich mich schon lange trage. Ganz einerlei ..
Alles einerlei .. ich frage sie heute noch, ob sie —
meine Frau werden will — meine Frau.

Alexander:

Oh! — Warum wollen Sie sich den schönen
Abend verderben? —

Hedwig
kommt von links mit einer Flasche Wein und zwei Gläsern.
Sie serviert und geht wieder ab.

Alexander
schenkt sich ein und kostet.

Bernhard

unruhig auf und ab.

Alexander

besieht die Etikette der Flasche. Lächelnd, für sich:

Ach ja. Hm. Laut zu Bernhard: Na — aber schließlich: sie hat ja Humor. Vielleicht nimmt sie's doch ganz gut auf. Hoffen wir das Beste.

Bernhard:

„Wir wollen doch so frohe Menschen werden" ... Sagte sie?

Alexander

gemütlich:

Hm. Mein lieber Herr von Vernier, bitte: kommen Sie her. Setzen Sie sich 'mal hübsch zu mir. So. Schenkt ihm ein: Prosit! Stößt mit ihm an: Sein wir vergnügt! Wissen Sie, wer uns heute Abend noch besuchen wird?

Bernhard

apathisch:

Nein.

Alexander:

Ein gewisser Conrad Thieme.

Bernhard

springt erregt auf:

Was?! Der Mensch, der auf Sie geschossen hat?

Alexander:

Nun ja: weshalb meinen Sie denn, daß ich sonst hier wäre?

Bernhard:

Hente noch?

Alexander:

Ja.

Bernhard:

Was kann der Mensch denn wollen?!

Alexander:

Ja, das weiß er wohl selber nicht. Jedenfalls kommt er. Ich weiß es von einem meiner Arbeiter, einem alten Freunde von ihm. Dem hat er dummer Weise sein Herz ausgeschüttet, und bei der Gelegenheit .. ist auch ein funkelnagelneuer Revolver zum Vorschein gekommen.

Bernhard:

Revolver!

Alexander:

Ja. Ach dabei müssen Sie sich weiter nichts denken. Das sind die schlechtesten Menschen noch lange nicht, die gern bewaffnet unter die Leute gehn. Die transatlantischen Umgangsformen, die Theorie der persönlichen Exekutive . . .

Bernhard:

Und Sie haben ihn nicht verhaften lassen?

Alexander:

Verhaften? Nein. Das ist nicht mein Geschmack. Überdies, wer weiß denn —: wahrscheinlich hat der Mann ganz recht. Er hat doch seine Informationen jedenfalls aus Hannas Familienkreisen. Na und da kann ich's ihm gar nicht übel nehmen, daß er herkommt, um sie totzuschießen. Ich würde das an

seiner Stelle vielleicht auch thun, wenn es mir sonst..
die Mittel meines Temperaments erlaubten.

Bernhard:

Ich .. ich bin noch ganz .. verwirrt. Sie sagen
das alles mit einer Ruhe, als ob Sie selber gar=
nichts befürchteten .. als ob das alles nur Scherz
wäre. Und doch kommen Sie selber her und ...

Alexander:

Ja, sehn Sie: ich möchte doch nicht, daß Hanna
allein wäre, wenn der junge Mann ihr .. seine
Visite macht. Ich halte es immerhin für zweckmäßig,
wenn jemand da ist, der dem Komparenten mit ..
Vernunftgründen begegnen kann. Hanna gegenüber
wird er vermutlich .. sinnlos rasen: Sie werden ..
ihm gegenüber vermutlich auch nichts Besseres thun:
da könnte ich ihm vielleicht .. bei meiner aus=
gesprochenen Begabung zum Akademiker .. mit einer
lichtvollen Klarlegung der thatsächlichen Verhältnisse
dienen. Das ist manchmal viel wert. — Na und
im Notfall — Er zieht einen Revolver aus der Tasche
und zeigt ihn Bernhard: Ich hatte auch noch so'n
Ding liegen.

Bernhard
sehr aufgeregt:

Das ist ja ... Mit plötzlichem Schreck: Wo bleibt
Hanna? Finden Sie nicht, daß sie längst oben sein
könnte? Es ist halb Acht! Wenn der Mensch ihr
aufgelauert hätte! Ich will hinunter ..

Alexander
ruhig:

Sein Sie unbesorgt, mein lieber Herr von
Vernier —: der schießt nur en face. Das kenn

ich). Der weiß auch, daß sie ihn vorläßt, wenn er zu ihr will.

Bernhard:

„Vorläßt"!? Um Gotteswillen! Man muß die Hedwig instruieren. Eilt zur Klingel.

Alexander:

Ich fürchte, daß Ihnen in diesem Falle selbst Ihre gußeiserne Freundin nichts helfen wird. Was Hanna will — hat sie noch immer durchgesetzt. Ah...

Hanna

öffnet von außen die Thür im Hintergrunde. Spricht nach außen:

Es ist gut. Sie können dann schließen. Fordert Conrad zum Eintreten ein: Bitte. Komm.

Conrad

ausländisch gekleidet, beträchtlich gealtert, bleich und bartlos, tritt ein.

Bernhard

am Schreibtisch links, wie angewurzelt.

Alexander

ist bei Hannas Stimme unwillkürlich heftig zusammen-gefahren, hat sich aber gefaßt, sich langsam erhoben und zu den Eintretenden umgewendet.

Conrad

hat anfangs Alexanders Blick erwidert, ohne ihn zu erkennen. Plötzlich heftig erregt:

Sie! Sie sind es! Hier! Was heißt das? Was bedeutet das?

Alexander

geht ruhig auf Conrad zu und reicht ihm die Hand:

Herr Thieme —: ich bin nicht Ihr Feind.
Er hält ihm die Rechte hin, indem er die Linke flüchtig
Hanna reicht, die sie schnell drückt.

Conrad

zögert erst. Dann, auf einen Blick Hannas, schlägt er ein.

Alexander

hält seine Hand einen Augenblick fest, beide sehn sich an.

Hanna

zu Alexander:

Ich hörte schon, daß Du gekommen wärst.
Mit einem Blick des Einverständnisses: Ich danke Dir.
Zu Bernhard: Nun .. Bernhard .. Du stehst ja so
abseits? Zu Conrad, mit einer vorstellenden Handbewegung:
Der Herr Graf, von dem Dir mein Vater schrieb —

Bernhard

aufs Äußerste verletzt:

Aber Hanna, ich bitte Dich, wie kannst Du nur ..
ich begreife Dich nicht .. ich .. Stockt.

Hanna:

Wie? — Ach Du weißt wohl nicht ...

Bernhard

schroff:

Ich weiß genug.

Hanna

streng:

Bernhard! —

Bernhard

unter dem Zwange ihres Blickes mühsam höflich:

Herr.. Thieme.. Sie werden es wohl nicht so unbegreiflich finden.. daß ich, der gar nicht weiß.. in welchen Absichten, mit welchen Gedanken Sie.. mit Betonung: zu meiner Braut kommen.. daß ich zögere, Sie hier willkommen zu heißen... Sagen Sie uns, was Sie hier wollen! Was Sie herführt! Ich hoffe, daß Sie vor meiner Braut.. die Achtung hegen, die sie beanspruchen darf und die ich fordre!

Conrad

unsicher:

Herr Graf, Sie sprechen von Ihrer Braut?

Bernhard

kurz:

Ich bin nicht Graf. Ich heiße von Vernier.

Conrad

aufbrausend:

Herr! Es ist mir auf der ganzen Welt nichts gleichgültiger. —

Bernhard

einfallend, heftig:

Wollen Sie nun —

Alexander

laut:

Vernier!

Hanna

gleichzeitig:

Bernhard!

Pause.

9*

Hanna
zu Conrad:

Ja — er sprach von seiner — Braut. Zu Bernhard: Du meintest wohl mich damit. Zu Conrad: Aber daran mußt Du Dich nicht stoßen. Bernhard kennt Dich ja nicht. Er meint vielleicht, Du würdest vor der .. Braut des — Entschuldige, Bernhard! — des Herrn von Vernier — mehr Respekt haben, als vor — einem selbständigen Menschen — vor mir.

Bernhard:

Ich habe allerdings noch nicht den Vorzug, Herrn Thieme zu kennen, und halte mich daher für sehr wohl berechtigt, ihn zu fragen, was er hier will.

Conrad
schwer:

Ich thue .. was ich thun muß .. damit ich .. ich .. nicht ersticke. Und ich habe noch nie danach gefragt, ob das .. gerade andern genehm ist.

Alexander
zu Bernhard, diesem das Wort abschneidend:

Wie ich Herrn Thieme zu kennen glaube .. hat er selber gar keinen leidenschaftlicheren Wunsch, als .. seine frühere Braut hochachten zu dürfen. Nur — er ist über sie sehr schlecht unterrichtet worden, man hat sie verleumdet, ihr Bild verzerrt .. und er kommt nun hierher, um sich — von der Wahrheit zu überzeugen. Zu Conrad: So ist es doch. Nicht wahr?

Conrad:

.. Ja ..

Alexander

jovial:

Nun also. — Nnn kommen Sie, Herr Thieme:
setzen Sie sich hierher .. in meine Nähe .. so ...

Conrad

ist im Begriff seiner Aufforderung nachzukommen. Auch
Hanna und Bernhard nähern sich dem Mitteltisch, um sich
zu setzen.

Alexander:

Den Brief, den Sie mir vor einem halben
Jahr —

Bernhard

flüstert, während Alexander spricht, Hanna schnell etwas zu.

Hanna

schüttelt mit dem Kopf.

Conrad

der dies bemerkt, plötzlich mit großer Heftigkeit, überlaut:

Nein! Neiu! Nein! Ich will nicht! Ich will
mich hier nicht einlullen lassen! Zum Teufel mit
den glatten Redensarten! Ich will ausführen, wes=
wegen ich gekommen bin. Weiter nichts. Hanna!
Mit Dir habe ich zu sprechen! Mit Dir ganz allein!

Bernhard

sucht sich zwischen Hanna und Conrad zu drängen.

Hanna

weist ihn mit einer Handbewegung zurück.

Alexander

der sich bereits wieder gesetzt hatte, erhebt sich schnell und
faßt Conrad scharf ins Auge. Alles dies geschieht, während
Conrad spricht. Dann kurze Pause.

Hanna

ruhig, indem sie Conrad voll ansieht:

So sprich.

Conrad

mit verhaltener Leidenschaft:

Hanna, wir .. wir haben uns vor Jahren
w o h l verstehen können. — Ich weiß nicht, ob es
jetzt überhaupt noch möglich ist. Damals kämpftest
Du — und das thue ich noch heute — für die
Menschheit! Ihr Elend rührte Dich noch .. das
Unrecht, das sie litten, erbitterte Dich noch .. und
Du wolltest mitarbeiten an ihrer Befreiung .. an
ihrer Erlösung! — — Und jetzt?

Hanna:

Conrad, ich habe mir die Menschen .. meine
lieben Mitmenschen .. wie ich mir einbilde, gründlich angesehn. Glaube mir: nicht die äußeren Feinde
einer Partei sind es, die einen von ihr entfremdeten.
Jeden, der kein Schwächling ist, · werden die nur
härter machen. Aber all jene zahllosen bitteren
Enttäuschungen, die man Jahr aus Jahr ein an
Freunden und Genossen zu erleben hat, diese kleinen
jämmerlichen Intriguen und lächerlichen Niedrig-
keiten aller Art —: und über dem Ganzen — dies
indolente Prozentum der gesinnungstüchtigen Hohl-
köpfe — das war es, siehst Du, das Alles, was
mir das Parteileben schließlich zur Hölle gemacht
hat! — Dazu kam, daß ich mit der Zeit j e d e
Form der Vergewaltigung hassen gelernt hatte.
Nicht bloß die ein oder andere. Ich sah, wie
s i e es trieben — diese Menschen, die vorgaben,
eine bessere Zukunft gepachtet zu haben. Der
Glaube, daß man die Welt erlösen könne, indem

man eines Tages an die Stelle einer .. fertigen
Gewalt .. diese noch unfertige setzt — der ist mir
da freilich abhanden gekommen. — Und so hab ich
mich denn auf eine Art von innerer Mission resigniert
und mit der .. bei mir angefangen. Du magst das
meinetwegen Egoismus nennen. Mir scheint .. die
Menschheit würde schneller vorwärts kommen ..
wenn es mehr solche — Egoisten gäbe.

Pause.

Conrad

dumpf:

Auch ich .. glaube nicht mehr .. an Vieles nicht
mehr. Fanatisch: Aber trotzdem — ich . . . Ab=
brechend: Aber davon wollen wir jetzt nicht weiter
sprechen. Ich kann begreifen, wie Du so geworden
bist. Nur das Eine! Sag mir nur das Eine —:
dieser Mann hier, was .. was hat er für ein Anrecht
an Dich?

Hanna

hell:

Ich — liebe ihn!

Bernhard

losplatzend:

Was berechtigt Sie ..

Hanna

schnell:

Bernhard! Was berechtigt denn Dich? Er ist
ja zu mir gekommen. Zu mir — nicht zu Dir.
Und ich will ihm Rede stehn. — Conrad: das
ist Alles, was ich zu sagen habe. Ich — liebe ihn.
Ein anderes — Anrecht hat er nicht an mich. —

Leiſe, warm und eindringlich: Conrad: was haſt Du
von mir denken können! Du — von Deinem alten
Kameraden? — — Vorhin fragteſt Du, wie es
möglich ſei, daß Könitz hier wäre. Sieh — ich
weiß — ihn hab ich tief .. tief verwundet .. damals,
als er fühlte . . . . . . Aber meinſt Du: er wäre einen
Augenblick an mir irre geworden? Nein! In ſeiner
vornehmen Güte . . .

Alexander
brummt mißbilligend:

Na, na . . .

Hanna
ſieht zu ihm hinüber, mit Betonung:

In ſeiner vornehmen Menſchengüte hat er da=
mals noch Ruhe und Humor erheuchelt — nur
damit es mir leichter würde, das zu thun, was auch
in ſeinen Augen meine Pflicht war — mich frei=
zumachen — von ihm. Indem ſie Alexander die Hand reicht:
Hab ich Dich verſtanden, Alexander?

Alexander
drückt ihre Hand. Bewegt:

Hm . . . hm. —

Hanna
wieder zu Conrad:

Und Bernhard — der Graf, zu deſſen Maitreſſe
ich avanciert bin . . . Bewegung Aller: Ja, ja —:
es klingt nicht hübſch. Aber ich muß es mir noch
öfter wiederholen —: es iſt das Urteil eines Vaters
über ſeine Tochter. Nicht wahr? So ſtand es doch
in dem Briefe, den er Dir nach London ſchrieb?

Conrad
nickt.

Hanna:

Nnn — Bernhard hat mich vorhin seine Braut
genannt. Das war unrecht von ihm. Sehr unrecht.
Denn — frage ihn nur —: ob schon jemals, seit
wir uns lieben, zwischen uns beiden von Heirat die
Rede gewesen!

Bernhard:

Bis jetzt noch nicht, nein. Aber ...

Hanna
lebhaft:

Siehst Du! Siehst Du! Heftig: Denn Du
mußt wissen: ich möchte doch immer noch lieber seine
Maitresse heißen — als seine Braut. Bewegung Aller:
Ja. Leidenschaftlich: Weit erbärmlicher wär's mir,
wenn ich in meiner Position auf eine solche Ehe
spekuliert hätte — als von so einem armen dummen
Mädel, das ... nun ja: das man nachher, wenn
sie auf einen hereingefallen ist, Maitresse schimpft!
— Sieht sie an: Das kann Euch nicht wundern. —
Wieder ruhiger: Und — verzeih mir, Bernhard —
aber gerade das hat öfter störend zwischen uns gelegen ... zumal seit dem Tode Deines Onkels —:
„Ist sie nun am Ziele?" — Aus Furcht vor diesem
quälenden Gedanken — Glaube mir! — hab ich oft
meine ... meine Grenzen eifersüchtiger bewacht,
meine Unabhängigkeit eigensinniger betont, als mir
mein ... Gefühl gebot. Bernhard — sag es hier
— vor diesen — nicht wahr: Dir ist niemals, —
niemals der Gedanke gekommen ... der Verdacht:
als ob ich hätte — „Gnädige Frau" werden wollen.

Bernhard:

Aber Hanna, wie kannst Du nur ...

Hanna:

Sag: nein!

Bernhard:

Nein! Nein! Inniger Händedruck der beiden.

Pause.

Alexander

zu Conrad:

Nnu, Herr Thieme? —

Conrad

wie aus einer Erstarrung auffahrend:

Ja ... Ich ... muß fort. Er tritt auf Hanna zu und spricht stoßweise mit mächtig arbeitender Brust: Hanna ... es ist wahr ... ich ... habe Dir ... Unrecht gethan ... Unrecht gethan. Menschen, die Dich nicht kennen, die Dich nie begreifen werden ... haben mich belogen. Du — bist Niemandem Rechenschaft schuldig — Du hast Deine Gesetze hier ... in Dir. Das fühl ich jetzt. — Wenn Du willst ... verzeih mir und ... Weiter nichts. — Leb wohl. Er geht, ohne auf die andern zu achten, mit schnellen Schritten ab.

Alexander

sich erhebend:

Herr Thieme! Herr Thieme! So warten Sie doch. Ich wollte Ihnen ja noch ... Da läuft er nun wieder drauf los ... Zu Hanna: Einen Augenblick, ich — Sieht die beiden an: Fürchte übrigens nicht, durch meine Abwesenheit zu stören. Ab.

Bernhard:

Hans! Er zieht sie an sich.

Hanna
an seiner Brust, leise:

Bernhard ... ich sagte Dir doch ... vorhin ... daß ich Dir etwas ... zu sagen hätte ...

Bernhard
zärtlich:

Daß wir frohe Menschen werden wollten ... ja, Hans ... das sagtest Du ... und ich, ich weiß nur einen Weg dazu, nur einen Weg. Hanna — werde mein Weib!

Hanna
lächelnd, leise:

Bin ich das nicht?

Bernhard
leidenschaftlich:

Ha a — zeige mir, daß Du mich liebst — einfach warm und natürlich, wie wir sterblichen Menschen es sollen. Opfere mir ... opfere mir nur ein Weniges ... von Deinem Stolze ... von Deiner unausstehlichen Selbstherrlichkeit. Zeige mir, daß ich nicht auch etwa bloß — Dein Lehrer bin. — Sieh: ich — kann es nicht länger ertragen. Ich unterliege unter den kleinen Demütigungen, die mir Deine ... unnahbare Überlegenheit, diese ... diese schreckliche Unabhängigkeit bereitet. Und daß ich so wenig Teil an Dir habe ... Ich bin nun einmal so. Du mußt mich doch auch — nehmen wie ich bin ... Nur ein Weniges opfere mir. Werde meine Frau! Verkauf diesen Trödel! Verlaß mit mir Berlin!

Hanna
mit fröhlich erstauntem Lächeln:

Aber Bernhard ...

Bernhard
eindringlich:

Wenn Du die Herrin von Westernach sein
wirst ... Hanna! Du glaubst es doch wohl selber
nicht, daß Du je das Geringste von Deiner geliebten
Souveränetät verlieren könntest! Nur schöner wird
sie Dir stehn ... vornehmer vor aller Welt! Und
dann, Hanna: sieh — Du hast eben noch zugegeben,
daß Du allzu eigensinnig auf Deine jetzige Selbständigkeit pochst, weil Du immer in Furcht bist,
es könne in mir der Gedanke aufkommen, Du wolltest
geheiratet werden ... Nun sieh —: Du hast es
ja in der Hand —: heirate mich — und Du bist
die Furcht für ewig los.

Hanna
fröhlich lachend:

O Bernhard — was ist das für eine Logik!

Bernhard

Zum Teufel mit der Logik! Es handelt sich
um unser Glück! Was gilt Dir mehr: Deine Prin-
zipientreue, oder ... oder Du und ich.

Hanna:

Du und ich und ...

Bernhard
fast erschrocken:

Was?! Hanna — Du ... Du willst also?
Ja?

Hanna:

Ja. Ich will. Ich will.

Bernhard
stürmisch:

O Du, Du ... Das war wohl ... Wolltest Du mir das sagen? Das? Ja?

Hanna:

Nein ... das nicht. Aber ...

Bernhard:

Nun?

Hanna
leise:

Ach, Bern: ich für mich allein ... ich hätte nie daran gedacht ... aber ... Ihre Stimme ist leiser geworden, sie verbirgt sich an seiner Brust.

Bernhard
macht einen Augenblick ein sehr dummes Gesicht:

Für Dich allein ...?

Hanna
vorwurfsvoll, daß er sie nicht versteht:

Bernhard!

Bernhard
begreift:

Ah ... Außer sich vor Glück: Hans! Hans! Jetzt bist Du erst mein Weib ... wie? Setzt sich und zieht sie auf seinen Schoß. Jubelnd: Jetzt bist Du mein Weib!

Alexander

kommt außer Atem wieder:

Gott sei Dank — hab ihn noch gekriegt! Bemerkt die beiden: Na nu?

Bernhard

jubelnd:

Doktor! Sie sagt ja! Sie sagt ja! — Wer hat nun recht?

Hanna

verbirgt den Kopf an Bernhards Brust:

Alexander:

Ich. — Sie hat eben Humor.

Ende.